BIENVENUE PLACE BEAUVAU

Police : les secrets inavouables d'un quinquennat

DES MÊMES AUTEURS

L'Espion du Président : au cœur de la police politique de Sarkozy, Robert Laffont, 2012

Christophe Labbé et Olivia Recasens

Vive la malbouffe, à bas le bio !, avec Jean-Luc Porquet, Hoëbeke, 2013

Justice : la bombe à retardement, avec Jean-Michel Décugis, Robert Laffont, 2007

Place Beauvau : la face cachée de la police, avec Jean-Michel Décugis, Robert Laffont, 2006

Christophe Labbé

L'Homme nu : la dictature invisible du numérique, avec Marc Dugain, Plon, 2016

Didier Hassoux

Comment j'ai sauvé le Président : farces et attrapes de la Sarkozie, avec Jean-Michel Thénard, Calmann-Lévy, 2012

Sarkozy et l'argent roi, avec Renaud Dély, Calmann-Lévy, 2008

Ségolène et François, avec Cécile Amar, Privé, 2005

Luc Ferry : une comédie du pouvoir, 2002-2004, avec Emmanuel Davidenkoff, Hachette Littératures, 2004

OLIVIA RECASENS
DIDIER HASSOUX
CHRISTOPHE LABBÉ

BIENVENUE
PLACE BEAUVAU

Police : les secrets inavouables
d'un quinquennat

**Robert
Laffont**

© Éditions Robert Laffont, S.A., Paris, 2017
ISBN 978-2-221-19898-8

Chaque génération, sans doute, se croit vouée à refaire le monde. La mienne sait pourtant qu'elle ne le refera pas. Mais sa tâche est peut-être plus grande. Elle consiste à empêcher que le monde se défasse.

Albert Camus,
discours de réception
du prix Nobel de littérature,
10 décembre 1957, Stockholm

L'arme à gauche

*Il faut comprendre qu'il n'y a pas
d'espoir et pourtant être déterminé à
changer les choses.*

F. S. Fitzgerald

La présidentielle se joue à l'Intérieur. C'est une évidence lorsqu'on examine le parcours de quelques anciens «premiers flics de France» de la Ve République. François Mitterrand, Jacques Chirac et Nicolas Sarkozy se sont tous servis du tremplin de la Place Beauvau pour atterrir sur le trottoir d'en face, à l'Élysée. Le ministère de l'Intérieur étant celui des emmerdements du quotidien comme des grands défis, celui qui y réussit peut prétendre à la fonction suprême. Accessoirement, c'est un passage obligé pour qui veut contrôler les affaires.

Dans un contexte où la menace terroriste et la crainte de nouvelles tueries de masse n'ont jamais été aussi importantes, les Français ont avant tout besoin de se sentir protégés. «La guerre», selon l'expression de Manuel Valls, alors ministre de l'Intérieur, et l'absence de moyens définitifs destinés à l'empêcher, a incontestablement généré de l'angoisse, favorisé les crispations identitaires, développé les fractures territoriales, accru la ghettoïsation. Plus que jamais, pour plagier un présentateur d'un journal télévisé d'un autre siècle, « la France a peur[1] ». Elle est en colère aussi. Une colère sourde et puissante contre des dirigeants politiques qui ne la protègent pas suffisamment. Ou mal.

Déjà en temps « normal », le débat public fait rage autour de l'insécurité – réelle ou ressentie – et des moyens de l'éradiquer. Les scrutins précédents l'ont montré : la lutte contre le crime est devenue un commerce électoral. En 2002, par exemple, l'affaire Papy Voise coûte en partie au Premier ministre Lionel Jospin sa qualification au second tour de la présidentielle. Trois jours avant le premier tour de scrutin, Paul Voise[2] était apparu en pleurs au journal de 20 heures, le visage tuméfié. Le retraité, vivant chichement dans un quartier « sensible » d'Orléans, avait été victime d'une agression sauvage doublée d'un racket. L'emballement médiatique installe la question de l'insécurité au cœur de la campagne. Le candidat de gauche soupçonné d'angélisme avec les délinquants n'en prend pas la mesure. En revanche, celui du Front national surfe sur l'émotion populaire suscitée par ce fait divers et rafle la mise sur le thème immigration = insécurité.

---

1. Roger Gicquel en ouverture du 20 heures de TF1 le 18 février 1976, au lendemain de l'arrestation de Patrick Henry, meurtrier d'un jeune garçon à Troyes.

2. Paul Voise est décédé le 6 janvier 2013 à quatre-vingt-deux ans.

Malheureusement, depuis près de vingt ans, le débat politique sur les questions de sécurité rebondit de fait divers en fait divers, ou se limite à une querelle de données. Sous quelle mandature la délinquance a-t-elle le plus baissé (ou le moins augmenté) ? Qui a créé le plus de postes de gendarmes et de policiers (ou en a le supprimé le moins) ? Des questions quantitatives emballantes pour les experts autoproclamés qui s'écharpent de plateau de télé en site Internet. En réalité, on le sait, chacun peut faire dire tout et son contraire aux statistiques.

Ce qui est certain, c'est qu'à compter de 2012 la gauche dispose de tous les pouvoirs et d'une chance unique : réconcilier les Français avec les forces de sécurité. Nicolas Sarkozy avait fait de la police un instrument électoral. François Hollande a un quinquennat devant lui pour se servir des forces de l'ordre afin de renouveler le contrat social, lutter efficacement contre la délinquance, réparer les injustices, réduire les inégalités. Comme notre enquête le démontre, Hollande et ses ministres ont échoué. Ce n'est pas faute d'avoir essayé.

La gauche aura beaucoup fait pour s'attirer les grâces des forces de l'ordre et des Français. Jamais un gouvernement n'a autant fait pour ses policiers et gendarmes. Le protocole de l'Élysée, signé avec une majorité de syndicats le 12 avril 2016, en atteste : près de 900 millions d'euros ont été octroyés aux 245 000 représentants des forces de l'ordre (144 000 policiers et 98 000 gendarmes). Ils peuvent désormais porter leurs armes en permanence, ont vu leur présomption d'innocence renforcée en cas de légitime défense. En revanche, les gouvernements socialistes ont échoué à rapprocher le policier du citoyen, comme l'atteste l'enquête édifiante réalisée par le Défenseur des droits en janvier 2017 : les jeunes hommes «perçus comme noirs ou arabes» ont «une probabilité vingt fois plus élevée que les autres d'être contrôlés[1]».

La gauche au pouvoir aura aussi beaucoup fait pour lutter contre le terrorisme. Jamais un gouvernement n'aura autant légiféré sur le sujet : quatre lois en quatre ans. Au prix d'un incontestable corsetage des libertés individuelles. Créé pour faire face aux événements de la guerre d'Algérie, l'état d'urgence a été décrété le 14 novembre 2015, au soir des attentats du Bataclan et des terrasses, et sans cesse reconduit depuis, au moins jusqu'au lendemain de la prochaine présidentielle. Les outils de surveillance de la population se sont multipliés : écoutes, géolocalisation, perquisitions. Jusqu'à la création, fin 2015, d'un mégafichier national – baptisé «TES» pour «Titres électroniques sécurisés» – qui recense et centralise toutes les données biométriques de soixante-sept millions de Français.

Pour mener à bien cette enquête, nous avons rencontré des dizaines d'acteurs de ce quinquennat, connus ou inconnus. Certains ont choisi de parler à visage découvert, d'autres pas. Nous sommes allés au plus près du terrain, pour comprendre le quotidien de ces hommes et femmes chargés de maintenir l'ordre. Nous avons écumé les commissariats et les casernes. Nous avons arpenté les palais nationaux, et les coulisses du pouvoir, pour raconter ce quinquennat marqué, comme jamais, par l'insécurité.

---

1. http://www.defenseurdesdroits.fr/.

Une anecdote, survenue fin 2016, résume à elle seule la relation ambiguë de la gauche à la sécurité. Dans l'antichambre du bureau du ministre de l'Intérieur, place Beauvau, deux syndicalistes patientent. L'un de gauche, l'autre de droite. Le premier demande au second : « J'ai parfois du mal à te suivre. Dis-moi franchement quel est ton maître à penser. » Interloqué, l'autre répond : « Tu me connais ! C'est Nicolas ! Nicolas Sarkozy. » Le syndicaliste de gauche insiste : « Oui, mais c'est banal : tu es élu LR. Et à présent, Sarkozy est retiré des affaires. Quel est ton nouveau gourou ? » Sans hésiter son collègue de droite lâche : « Manuel Valls. »

À vouloir à tout prix rompre avec sa réputation de laxisme, la gauche aura beaucoup fait. Bien plus et bien mieux que la droite. Ou bien pire, c'est selon. Sans doute parce qu'elle n'était pas prête à l'alternance mais aussi parce qu'elle ne l'a pas souhaité, elle n'a pas réussi à « désarkozyser » la hiérarchie policière. Comme leurs prédécesseurs, mais avec moins de talent et de rouerie, Hollande, Valls, Cazeneuve et les autres ont joué avec l'appareil judiciaire à des fins souvent électorales. Comme leurs concurrents, ils se sont montrés tout aussi incapables de réformer profondément le fonctionnement de la machinerie policière, sclérosée par des querelles de chapelle. Enfin, tout comme la droite, la gauche a été dans l'impossibilité de réconcilier la police et la justice, l'ordre et la loi, la matraque et le Code pénal.

1

La désarkozysation

Nicolas Sarkozy trépigne. Le téléphone portable qu'il a emprunté à l'un de ses gardes du corps ne fonctionne pas. Cela fait maintenant près d'un quart d'heure que l'ancien président de la République est coincé dans l'ascenseur de la Direction centrale de la police judiciaire, à Nanterre. Si Sarkozy éructe contre les hommes de sa protec', c'est parce que ce sont eux qui lui ont imposé cet ascenseur de service afin d'échapper aux journalistes. Il enrage encore lorsqu'il s'aperçoit que le seul portable qui capte un réseau est celui de la chef de l'Office central de lutte contre la corruption, les infractions financières et fiscales, elle aussi coincée dans ce huis clos impromptu. L'ancien chef de l'État le sait parfaitement : c'est elle, Christine Dufau, qui a débusqué le téléphone clandestin au nom de Paul Bismuth qu'il utilisait pour échapper à une justice trop curieuse à son goût... Lorsqu'à 23 h 30, ce mardi 2 juillet 2014, la porte de l'ascenseur s'ouvre enfin, un planton croyant bien faire lance à la cantonade : « Vous avez de la chance : il y a des cons qui sont restés coincés pendant vingt minutes. »

Seize mois après avoir quitté l'Élysée, Nicolas Sarkozy a été placé sur écoute. Pendant près d'un an, la police judiciaire a espionné ses conversations. Une première dans les annales de la Ve République. Depuis l'arrivée de Hollande au pouvoir, c'est comme si une malédiction judiciaire s'était abattue sur son prédécesseur. En 2017, cinq ans après sa défaite électorale, ce ne sont pas moins de treize affaires judiciaires qui empoisonnent Nicolas Sarkozy ou son entourage. Au point que les sarkozystes, prompts à s'afficher en victimes, y voient la main d'un cabinet noir.

Celui qu'il désignait comme son «collaborateur» lui donne bien involontairement raison. François Fillon déjeune le 24 juin 2014, avec son ancien ministre recyclé secrétaire général de l'Élysée. Aussitôt sorti de table, Jean-Pierre Jouyet fait le récit de ses agapes à son ami de toujours François Hollande. Fillon lui aurait demandé d'accélérer les procédures judiciaires impliquant son rival des Républicains. L'ex-Premier ministre dément, sitôt cet épisode rendu public par *Le Monde*. Il attaque même le quotidien et ses journalistes auteurs de ce scoop en diffamation. Il se fait débouter par deux fois[1]. Les sarkozystes du premier cercle sont persuadés de la véracité de l'épisode. D'autant qu'il accrédite l'idée d'un complot ourdi contre eux en haut lieu. Près de trois ans plus tard, les mêmes rient sous cape lorsqu'ils découvrent dans *Le Canard enchaîné* que le candidat à la présidentielle n'est pas le père vertu qu'il prétend. Le scandale du «Penelopegate» vient d'éclater et le parquet national financier a diligenté, à la lecture de «l'hebdomadaire satirique paraissant le mercredi»,

---

1. En première instance le 9 juillet 2015 et devant la Cour d'appel le 24 mars 2016.

une enquête sur l'emploi présumé fictif de Madame Fillon, comme assistante parlementaire de son mari. Mais cette fois le supposé cabinet noir de l'Élysée n'y est pour rien.

Comment Sarkozy a tenté de verrouiller la police

Lorsqu'il a remis les clefs à celui que sa moitié a méchamment surnommé dans une ritournelle «le Pingouin», Nicolas Sarkozy était pourtant certain d'avoir verrouillé la boutique police. Deux fois ministre de l'Intérieur, il aura eu le temps de placer ses flics à tous les postes essentiels. Devenu Président, c'est Claude Guéant, un ancien directeur général de la police nationale (DGPN[1]), qu'il nomme secrétaire général de l'Élysée. Du jamais vu.

Une fois défait, «le Petit» a conservé directement à son service deux autres patrons de la maison poulaga : Michel Gaudin à la tête de son cabinet particulier, et Frédéric Péchenard, son «porte-flingue» intronisé numéro deux des Républicains.

Pendant plus de vingt ans, Guéant et Gaudin, «les deux G», comme on les surnomme, ont régné sur l'appareil policier jusqu'à le refaçonner à leur main, avec la réforme des corps et carrières qui a chamboulé toute l'organisation de la police, en redessinant les grades et en fixant de nouvelles règles pour les avancements.

Quant à Péchenard, c'est le grand flic qui, avec trente ans de PJ au compteur, est encore aujourd'hui chez lui

---

1. Voir l'organigramme des Services de sécurité français, p. 241.

au 36, quai des Orfèvres[1]. Celui que Sarkozy appelle affectueusement «Pèch'» a son rond de serviette chez Carla et Nicolas, villa Montmorency, à Paris, et il est aussi un habitué des vacances au cap Nègre dans la résidence des Bruni-Tedeschi.

La firme épargnée

Verrouillée de cette façon, c'est peu dire que la Place Beauvau est un terrain miné pour la gauche lorsqu'elle arrive aux affaires en 2012. Les nouveaux maîtres des lieux savent bien qu'ils ont tout pouvoir pour faire le ménage, mais étrangement, Hollande rechigne à couper les têtes. Rien à voir avec 1981, suite à l'élection de François Mitterrand, où la guillotine chère à l'ancien ministre de l'Intérieur, «Robespaul Quilès» avait fonctionné. Ou avec la cohabitation en 1986, lorsque le Premier ministre Jacques Chirac avait donné consigne à Charles Pasqua de reprendre le contrôle de l'appareil policier. À cette époque-là, non seulement six directeurs centraux avaient été remerciés sur-le-champ, mais le tableau d'avancement des commissaires signé par son prédécesseur Pierre Joxe s'était trouvé carrément annulé !

En 2012, sous Hollande, trois têtes en tout et pour tout roulent dans le panier. Celle de Frédéric Péchenard, que Sarkozy avait propulsé DGPN sept jours seulement après son arrivée à l'Élysée. Celle de Michel Gaudin, le préfet de police de Paris, dont l'éviction brutale à quelques mois de la retraite sera mal vécue par la

---

1. Lire le chapitre «Au 36ᵉ dessous», p. 131.

troupe. Et enfin celle de Bernard Squarcini «l'espion du Président[1]», qui a pris en 2008 les rênes du plus puissant service de renseignement intérieur que la France ait jamais connu. La DCRI devenue depuis la DGSI, née de la fusion forcée de la DST et des RG, est une machine conçue sur mesure pour lui et pour servir «la firme», sous la cloche du secret-défense. Comme Pèch', «le Squale» tutoie Sarkozy, et navigue depuis trente ans dans la police, mais lui dans les eaux troubles du renseignement.

Si, à la Place Beauvau, aussi peu de sarkozystes sont passés par le fil de l'épée, c'est plus par nécessité, amateurisme et imprévision que par mansuétude ou véritable choix. Les grands flics de la Mitterrandie ont vieilli, sans préparer de relève. La gauche a bien dans sa manche de jeunes commissaires prometteurs, membres du club sécurité de la Fondation Jean-Jaurès. Mais parmi eux pas l'équivalent d'un Péchenard, par exemple, capable de s'imposer comme numéro un de la police. Patrice Bergougnoux (officier CRS devenu préfet, puis patron de la police sous Joxe et Chevènement) dresse à la hâte une liste de dix candidats «sûrs» pour les postes clefs, à l'intention du tout nouveau ministre de l'Intérieur Manuel Valls. La plupart flirtent avec l'âge de la retraite – l'un a même rejoint depuis peu la rubrique nécrologique.

«On n'arrivait pas à trouver un DGPN, raconte un cacique du PS[2]. Claude Baland, soixante et un ans,

---

1. *Cf.* Olivia Recasens, Didier Hassoux et Christophe Labbé, *L'Espion du Président*, Robert Laffont, 2012.
2. Entretien du 14 juin 2016.

préfet de l'Hérault, c'était ce que l'on pouvait faire de mieux, vu les circonstances! Sans être vraiment à gauche, on savait qu'il serait loyal.» Baland, ancien prof d'histoire, connaît un peu la police pour en avoir été le DRH, notamment sous Daniel Vaillant, ministre de l'Intérieur de Lionel Jospin. Pas vraiment un foudre, si l'on en croit le surnom dont ce modeste serviteur de l'État s'affuble lui-même lorsqu'il salue un inconnu : «Baland, comme les bras.»

Malgré cette déficience en matière de ressource humaine, Hollande va tenter de reprendre le contrôle de la maison police mais sans couper les têtes. Contrairement à tous ses prédécesseurs depuis Mitterrand, François Hollande n'est pas passé par la Place Beauvau. C'est un homme d'appareil qui pendant dix ans a été Premier secrétaire du PS. Il va donc faire avec ce qu'il a sous la main et ce qu'il connaît le mieux : la petite politique. Puisqu'il ne dispose pas des hommes idoines, il va les chercher dans le camp d'en face. Mais chez les ennemis de Sarko. C'est donc tout naturellement vers les chiraquiens qu'il se tourne.

Des renforts chiraquiens

Élu de Corrèze, le fief de Jacques Chirac, François Hollande a su tisser des liens avec l'ancien Président et son entourage. Leur alliance secrète se nourrit de leur haine commune envers Nicolas Sarkozy. La rancœur des chiraquiens remonte à loin, au temps de la guerre fratricide à droite. En 1995, alors qu'il est ministre du Budget, Nicolas Sarkozy a abandonné en rase campagne son mentor Jacques Chirac pour Édouard Balladur, qui ose défier le chef à la présidentielle. La plaie n'ayant jamais cicatrisé, Jacques Chirac, en 2012, se prononce pour Hollande contre celui qu'il surnomme « le Nain ». C'est donc tout naturellement que François Hollande, une fois élu, pioche dans la Chiraquie, canal historique.

Pour placer des hommes fiables à des postes clefs dans l'appareil sécuritaire, des « flics » chiraquiens sont appelés à la rescousse. Le plus marqué est sans conteste Philippe Klayman. Ce préfet breveté commando chez les fusiliers marins assurait la protection des meetings de Jacques Chirac lorsqu'il travaillait pour la Mairie de Paris, avant de devenir à la Place Beauvau le conseiller technique de Jean-Louis Debré, pilier de la Chiraquie lui aussi. Cet amateur de Chateaubriand qui a pour devise une phrase extraite des *Mémoires d'outre-tombe*, « Le péril s'évanouit quand on ose le regarder », a tout de suite dit « oui » lorsque, quatre mois après l'élection de Hollande, le nouveau pouvoir lui a proposé de devenir patron des CRS. Un poste ultra-sensible parce que le maintien de l'ordre est une matière politiquement explosive, encore plus sous la gauche. Et puis les CRS ont une autre mission, plus confidentielle, celle de protéger en deuxième rideau l'intimité du Président et des membres du gouvernement.

C'est cette même proximité avec la Chiraquie qui conduit la gauche à nommer directeur du renseignement territorial Jérôme Leonnet. À cette place stratégique, cet ancien conseiller sécurité de Dominique de Villepin au ministère de l'Intérieur, puis à Matignon, a pour mission de redéployer une force susceptible de collecter autant d'infos que les ex-Renseignements généraux. Pendant les treize mois durant lesquels il a occupé le fauteuil de Beauvau, l'obsession de Villepin est de compliquer, pour le compte de Chirac, la vie de Nicolas Sarkozy, momentanément en exil à Bercy. «Avant de partir à Matignon dans les bagages de Villepin, Leonnet a demandé qu'on lui remette dans un dossier noir toutes les procédures judiciaires en cours considérées comme sensibles», se souvient un témoin de l'époque à la Direction générale de la police. Pour avoir œuvré aux côtés de Villepin, Leonnet est expédié, Sarkozy à peine élu, à l'Inspection générale de la police, le cimetière des éléphants, dont il est extrait par la gauche à l'automne 2014. Sa mission : ressusciter sous une autre appellation les fameux RG, supprimés en 2008 par Nicolas Sarkozy parce qu'il les soupçonnait d'avoir enquêté sur son couple. Il dote ce nouveau service d'un bras armé, la Division nationale de la recherche et de l'appui (DNRA). Forte d'une soixantaine de personnes, la DNRA ou «D7» pour les intimes, est officiellement chargée des surveillances discrètes dans les domaines sensibles. Comme du temps où, conseiller sécurité de Villepin, il voyait passer les «blancs» des RG, ces notes de renseignement ultra-confidentielles anonymes, Leonnet nourrit la curiosité du Château avec des notes «qui n'ont jamais existé» sur des sujets politico-financiers.

Nul doute que Jérôme Leonnet n'a pas été surpris de voir arriver en juin 2014 Jean-Marc Falcone à la tête de la police nationale. Cet ancien commissaire devenu préfet a été l'adjoint d'Alain Juillet, le «Monsieur intelligence économique» lors du second mandat de Jacques

Chirac. «À l'époque, Alain Juillet ne faisait pas que de l'intelligence économique, affirme un commissaire de police alors aux premières loges pour compter les coups échangés entre Sarkozy et Villepin. Il animait une discrète cellule de quatorze personnes, codirigée par un ancien chef de cab' d'un patron socialiste des RG, puis de la DST, qui travaillait aussi sur les sources de financement de Nicolas Sarkozy[1]. » Ce dernier avait déjà les yeux rivés sur l'Élysée. Une cellule aurait ainsi œuvré sur l'affaire Clearstream, ce fameux listing truqué sur lequel figurait un faux compte de Nicolas Sarkozy au Luxembourg. Sa révélation devait l'empêcher de prendre la tête de l'UMP avec son trésor de guerre de 33 millions d'euros, puis de briguer l'Élysée. Le chantier a échoué. Alain Juillet a juré ses grands dieux n'y avoir participé ni de près ni de loin. Aux juges qui l'auditionnaient en 2006 sur le sujet, il affirmait s'être « saisi tout seul » d'une enquête sur Clearstream et n'en avoir jamais parlé à Dominique de Villepin, dont il dépendait directement[2]... Quant à Falcone, son ancien bras droit, il n'a jamais été interrogé par les juges.

Un cabinet noir anti-Sarkozy ?

Le retour aux affaires de ces chiraquiens nourrit bien évidemment le soupçon sarkozyste de l'existence d'un

---

1. Entretien du 19 février 2015.
2. Alain Juillet n'a jamais été mis en cause dans l'affaire Clearstream. Il n'a été entendu que comme témoin.

cabinet noir. Il n'est pas possible d'en apporter la preuve formelle. Comme il n'est pas possible de prouver le contraire ! Mais l'addition d'indices troubles et de témoignages étonnants interroge. Plusieurs observateurs bien placés dans l'appareil policier nous ont ainsi décrit par le menu l'existence d'une structure clandestine, aux ramifications complexes, et dont le rayon d'action ne se serait pas cantonné au seul renseignement territorial. «Les sarkozystes n'ont rien vu venir, persuadés que les coups partiraient forcément de chez nous, où ils pensaient avoir mis suffisamment de clochettes pour être prévenus à temps», confie un officier de la DGSI[1] qui a longtemps roulé sa bosse à la DST.

Pour orchestrer les affaires judiciaires il existe une mécanique complexe aussi efficace que redoutable. Hollande a su en tirer profit. D'abord il y a Tracfin, le service de renseignement financier de Bercy, le ministère piloté durant tout le quinquennat par Michel Sapin, un ami de quarante ans du Président. La plupart des affaires judiciaires qui ont empoisonné Sarko et les siens ont trouvé leurs racines ici, dans cet immeuble ultra-sécurisé du 9e arrondissement de Paris, entièrement classé secret-défense. Là, cent vingt fonctionnaires sont habilités à fourrer leur nez dans les comptes en banque de n'importe qui. Chaque semaine, le patron de Tracfin prend le chemin de l'Élysée pour assister, avec les directeurs des six autres services secrets, à la réunion organisée par le coordinateur du renseignement. Ce poste, occupé un temps par Didier Le Bret, compagnon de Mazarine, la fille de François Mitterrand, est

---

1. Entretien du 24 novembre 2016.

désormais assumé par Yann Jounot. Ce préfet socialiste, spécialiste du renseignement, exerçait précédemment ses talents à la tête des Hauts-de-Seine, le berceau de la Sarkozie, une place ô combien stratégique permettant de surveiller la droite. Afin d'allumer la mèche d'une affaire politico-financière, il suffit que Tracfin pêche au bon endroit, remonte dans ses filets une infraction, et la transmette officiellement à la justice. Ou officieusement à un service enquêteur qui se chargera de mener «une enquête d'initiative» avant qu'un magistrat ne la reprenne à son compte.

Une fois la machine lancée, le dossier emprunte un alambic judiciaire, sous le regard d'un autre ami du Président, le directeur des affaires criminelles et des grâces, Robert Gelli, qui a partagé la même chambrée que François Hollande et Michel Sapin lors de leur service militaire. Après l'élection de 2012, cet ancien conseiller de Jospin à Matignon est tout de suite promu chef du parquet de Nanterre, dans les Hauts-de-Seine. D'où il dégoupille quelques grenades contre Patrick Balkany, le copain d'enfance de Nicolas Sarkozy. Lorsqu'il dirigeait l'association des procureurs, Gelli en avait fait l'arme de guerre des «petits pois[1]» contre Sarkozy, déclenchant même une pétition chez les parquetiers – une jacquerie sans précédent. Il avait à cette époque comme adjoint au sein de l'association Bruno Dalles, l'actuel patron de Tracfin.

---

1. Expression péjorative employée en octobre 2007 par Nicolas Sarkozy pour désigner les différents juges qui «se ressemblaient tous» et enquêtaient sur lui.

Une armée magistrale

Depuis la Direction des affaires criminelles et des grâces (DACG), véritable tour de contrôle de la Place Vendôme, Gelli peut suivre en temps réel l'avancement de tous les dossiers politico-financiers. « La DACG n'est pas seulement l'œil de la Chancellerie, c'est aussi un moyen de piloter discrètement les dossiers politiquement sensibles », allègue un parquetier. Une pratique assumée par la Chancellerie[1]. Sur le papier, pourtant, c'en est fini de l'ère Sarkozy : il n'y a plus d'«affaires signalées », ces dossiers que le pouvoir exécutif surveille de près et sur lesquels il intervient autant que de besoin, par le biais d'«instructions individuelles» adressées aux magistrats. «En fait, les choses se font plus subtilement, par exemple, sur l'opportunité d'ouvrir une information judiciaire, des consignes sont données... mais oralement », nous précise un magistrat[2]. Chaque fois, ce sont les mêmes juges d'instruction qui sont désignés pour les affaires qui intéressent le Château. Ils sont moins de cinq, dont on retrouve le nom dans tous les dossiers qui concernent Sarkozy. Des habitués de la méthode des poupées russes.

Prenez l'affaire Air Cocaïne. Tout commence en mars 2013, par l'arrestation en République dominicaine de pilotes français soupçonnés de convoyer de la

---

1. *Cf.* «Comment l'exécutif intervient dans les affaires judiciaires », *J'essaime*, *Journal du syndicat de la magistrature*, 15 novembre 2010.
2. Entretien du 30 octobre 2014.

poudre. En décortiquant les carnets de vol de l'appareil, la juge marseillaise chargée de l'enquête s'aperçoit que l'avion a été loué trois fois par le businessman Stéphane Courbit, pour convoyer sans bourse délier son ami Nicolas Sarkozy. Les deux hommes avaient projeté un temps de monter ensemble un fonds d'investissement pour grandes fortunes. À partir de cette découverte, la juge fait «une incidente». En clair, elle ouvre un nouveau dossier visant Courbit et Sarkozy pour «abus de biens sociaux». L'accusation s'est soldée par un non-lieu en septembre 2016. Mais pour les besoins de son enquête, la juge a fait géolocaliser pendant un an les deux portables de l'ex-président de la République et a pu récupérer ses «fadettes» : les factures détaillées fournies par les opérateurs, le listing de tous ses appels entrant et sortant. Maladresse ayant alimenté la théorie d'un complot : la juge est faite chevalier de la Légion d'honneur en avril 2014.

Ces magistrats qui additionnent les affaires sur le clan Sarkozy sont eux-mêmes alimentés et épaulés par une poignée d'officiers de police judiciaire, la plupart en poste à l'Office central de lutte contre la corruption, les infractions financières et fiscales, qui fut un temps piloté par Bernard Petit, un fidèle de Manuel Valls quand il était à l'Intérieur[1]. Une méthode à l'efficacité éprouvée sous Chirac afin de se débarrasser des adversaires.

C'est ainsi que Charles Pasqua, dont la candidature à l'élection présidentielle de 2002 compromettait potentiellement les chances du Corrézien, fut mis hors d'état de nuire. Six mois après avoir été investi par son microparti

---

1. Lire le chapitre «Au 36ᵉ dessous», p. 131.

le RPF, Pasqua est opportunément rattrapé par la justice. Le 5 juillet, l'avocat Alain Guilloux est perquisitionné parce qu'on le soupçonne de blanchiment à l'occasion de la vente de l'un de ses appartements. L'affaire fera *pschitt*, puisque Guilloux bénéficiera d'un non-lieu. Mais cette histoire sonne le départ des déboires judiciaires de Pasqua. En effet, lors de la descente dans le cabinet du fiscaliste, les policiers mettent la main sur le dossier de l'un de ses clients, le milliardaire russe Arcadi Gaydamak. Une «trouvaille» qui va permettre d'ouvrir une nouvelle enquête : l'Angolagate, ces ventes d'armes vers l'Angola pour lesquelles Pasqua est soupçonné d'avoir touché des rétro-commissions. «On s'est servi de moi, raconte l'avocat[1]. En venant perquisitionner mon cabinet, le juge avait déjà en ligne de mire Charles Pasqua. Yves Bertrand, le directeur des RG, qui roulait pour Chirac, comme le juge et les policiers avaient soufflé au magistrat qu'il trouverait dans le dossier Gaydamak des pièces intéressant le financement de la campagne de Pasqua. Comme ces pièces étaient couvertes par le secret professionnel, il fallait, pour les saisir, m'impliquer dans un délit fantaisiste.»

L'enquête sur l'Angolagate débouche sur des perquisitions au siège du RPF et au conseil général des Hauts-de-Seine, alors présidé par «Môssieur Charles». Là encore, les policiers ont la main heureuse. Ils tombent sur une reconnaissance de dette qui enclenche l'ouverture d'une autre information judiciaire contre le maître de céans. Cette fois, c'est le financement de sa campagne

---

1. Entretien du 8 février 2008.

européenne qui est visé. Trois semaines avant le premier round de la présidentielle, Pasqua finit par jeter l'éponge, encombré par ses casseroles judiciaires. Prétexte invoqué : il assure ne pas avoir le nombre de parrainages suffisant, alors que sa liste a fait 13 % aux précédentes européennes. Plus tard, Pasqua confiera : « Ce que je sais, c'est que mes ennuis ont commencé en 2000. Quand j'ai laissé entendre que je serais peut-être candidat à la présidentielle en 2002. Dès lors, on a tout fait pour m'abattre. » Jacques Chirac a effectivement eu le champ libre, assuré de battre Lionel Jospin au premier tour, puis de l'emporter au final contre Le Pen.

Un dérapage verbal incontrôlé

« Sarkozy, je le surveille, je sais tout ce qu'il fait », fanfaronne le Président devant dix-neuf députés socialistes qu'il reçoit, le 17 février 2014, à l'Élysée. « Hollande a toujours voulu garder un œil sur ses ennemis et même sur ses alliés de circonstance qui pourraient devenir ses adversaires », prévient en écho un éléphant socialiste[1] qui a pratiqué à ses dépens l'ancien Premier secrétaire du PS. Un « allié de circonstance » comme Alain Juppé, fidèle de Chirac s'il en est ? François Hollande n'a-t-il d'ailleurs pas nommé Augustin de Romanet, un des soldats du maire de Bordeaux, à la tête de l'un des plus gros fromages de la République : Paris Aéroport[2]. Est-ce pour garder un œil sur lui que

---

1. Entretien du 7 juin 2016.
2. Anciennement Aéroports de Paris, ADP.

Hollande y a également placé l'ex-préfet de Corrèze Alain Zabulon, ancien coordinateur national du renseignement? Un homme en qui le Président a toute confiance, et qu'il a suggéré à Augustin de Romanet comme directeur de la sûreté.

Les propos imprudents de Hollande sur la surveillance de Sarkozy, Bruno Le Roux, le patron du groupe PS à l'Assemblée nationale, s'est aussitôt empressé de les démentir : «Le président de la République n'écoute ni ne surveille personne!» Celui qui n'était pas encore ministre de l'Intérieur avait sans doute encore à apprendre, du moins si l'on en croit un vieux routard de la PJ[1] : «Quand on branche une personnalité, on sait que les infos récoltées ne partent pas toujours uniquement au bureau du juge. Elles peuvent aussi nourrir des "blancs". On sait que notre hiérarchie va faire remonter ces informations en haut lieu. C'est une pratique qui a toujours existé...» Lui comme ses collègues, manifestement rompus à ces méthodes, ne croient pas une seconde au scénario servi par l'Élysée, selon lequel François Hollande aurait découvert la mise sur écoute de Nicolas Sarkozy en lisant le journal *Le Monde*. Pas plus qu'ils n'imaginent un Manuel Valls laissé dans l'ignorance.

À la Chancellerie, pour tenter de couper court à toute rumeur sur un pilotage des écoutes de Sarkozy par le pouvoir, Christiane Taubira tient, en urgence, le 12 mars, une conférence de presse. La garde des Sceaux jure n'avoir jamais eu la moindre information sur «la date, la durée, le contenu des interceptions judiciaires»

---

1. Entretien du 14 avril 2015.

de Nicolas Sarkozy. Las, les deux documents qu'elle brandit devant les caméras pour faire montre de sa bonne foi la contredisent! Ils établissent que la ministre était tenue au courant depuis au moins trois semaines des détails de l'enquête! L'opération déminage vire au ridicule.

Un flagrant délit de mensonge destiné à protéger l'Élysée? Difficile en tous cas d'imaginer que, place Vendôme, personne n'ait eu l'idée de mettre au parfum le Château... Quant à la Place Beauvau, elle est nécessairement dans la boucle dès le départ, puisque ce sont les fameux policiers de la Division nationale de l'investigation financière et fiscale devenue l'Office central de lutte contre la corruption, les infractions financières et fiscales, qui ont branché les téléphones de l'ancien Président, puis retranscrit ses conversations, tout en le géolocalisant en temps réel.

Tactique et «toc»

Question : comment le portable caché de Sarkozy, le «toc», comme on dit dans un jargon commun aux flics et aux voyous, a-t-il été repéré? Quand Thierry Herzog achète dans une boutique SFR, à Nice, deux puces téléphoniques prépayées, avec la carte d'identité de l'un de ses anciens copains de lycée, Paul Bismuth, les deux hommes sont persuadés d'avoir parfaitement sécurisé leurs communications secrètes d'autant qu'ils n'utilisent ces lignes que pour échanger entre eux. D'où la sidération de l'avocat, lorsque des policiers se présentent à son domicile à la recherche du toc en question.

« Les collègues lui ont ordonné de présenter ses téléphones. Il leur en a donné deux ou trois. Ils ont demandé s'il en avait un autre. Herzog a répondu "non". Ils ont alors composé le numéro du téléphone de Bismuth, qui s'est mis à sonner dans la poche de son peignoir. L'avocat était livide... », raconte avec gourmandise un officier de la PJ de Nanterre[1]. Ce qui aurait mis la puce aux oreilles des enquêteurs, c'est la soudaine banalité des propos de Nicolas Sarkozy sur les deux lignes téléphoniques enregistrées à son nom qui étaient sur écoute.

« Savoir que la personne "branchée" utilise aussi un toc est une chose, identifier le numéro caché en est une autre, ajoute notre OPJ. On peut toujours faire une requête à l'opérateur pour regarder quels sont les autres numéros qui accrochent sur la borne du téléphone blanc, l'officiel. Mais le plus simple est d'utiliser un IMSI-catcher. » Des appareils dissimulables dans un sac à dos ou une valise qui, en imitant le fonctionnement d'une antenne relais de téléphonie mobile, avalent à distance les communications de tous les portables qu'ils identifient y compris en mode veille. La plupart des IMSI-catchers sont en dotation à la DGSI et à la DGSE : les espions des deux services secrets en possèdent au moins une douzaine.

Mauvais joueur

Dans la galaxie sarkozyste, il en est un autre à avoir fait les frais de l'arrivée de la gauche au pouvoir.

---

1. Entretien du 27 mars 2014.

François Hollande n'a jamais apprécié Bernard Tapie. Pas même lorsqu'il était ministre d'un gouvernement de gauche. Et surtout pas lorsque, aux élections européennes de 1994, la liste conduite par le radical de gauche fait jeu égal avec celle des socialistes. Sous la présidence de Hollande, Tapie aggrave son cas quand il achète le groupe de presse *La Provence*. Hors de question de laisser l'ex-mitterrandolâtre devenu sarkozyste peser sur la vie politique marseillaise. Coïncidence ou pas, au moment où Tapie échafaude des plans pour mettre la main sur le pôle de presse, le parquet de Paris ouvre une information judiciaire contre lui. Les magistrats le suspectent d'avoir, sous le quinquennat de Nicolas Sarkozy, profité d'une procédure d'arbitrage truquée pour récupérer 240 millions d'euros dans le bras de fer qui l'oppose depuis vingt ans au Crédit lyonnais sur le rachat d'Adidas. L'ancien ministre se retrouve mis sur écoute, placé en garde à vue pendant quatre jours, et écope d'une mise en examen pour «escroquerie en bande organisée». L'«affaire Tapie» éclabousse la Sarkozie. Claude Guéant, soupçonné d'avoir tiré les ficelles pour influencer l'arbitrage lorsqu'il était secrétaire général de l'Élysée, est à son tour perquisitionné. À l'occasion de cette descente menée par le juge Tournaire, les policiers saisissent des factures et des documents bancaires qui font aussitôt éclore deux nouveaux dossiers judiciaires. Encore et toujours ce procédé des poupées russes...

Première affaire : celle dite «des tableaux». Le préfet retraité et reconverti comme avocat se voit reprocher d'avoir perçu dans des conditions suspectes un virement de 500 000 euros qu'il a cru bon de justifier par la vente de deux marines, bien au-delà du prix du marché pour deux croûtes. Seconde affaire : celle des «frais d'enquête et de surveillance[1]». Guéant est carrément accusé d'avoir, lorsqu'il était ministre de l'Intérieur, piqué dans la caisse normalement prévue pour couvrir les dépenses des enquêteurs sur le terrain. Une ponction dont il s'est servi pour s'équiper en électroménager !

Un esprit mal intentionné pourrait résumer l'affaire ainsi : d'une pierre trois coups, le boulet de canon tiré contre Bernard Tapie aura aussi déstabilisé l'ancienne ministre de l'Économie de Nicolas Sarkozy, Christine Lagarde, renvoyée devant la Cour de justice de la République (CJR), pour son rôle supposé dans l'arbitrage. Fin 2016, la juridiction composée de magistrats et parlementaires la reconnaît coupable... mais la dispense de peine, juste au moment du déclenchement des hostilités électorales. Un jugement qui donne à la gauche l'occasion de plaider pour l'abolition de la CJR. Une promesse non tenue de Hollande...

Les rescapés du quinquennat

À la différence de tous ceux-là, deux éminences de la Sarkozie donnent le sentiment d'avoir été miraculeusement épargnées par les poursuites judiciaires. Première d'entre elles : Jean-Louis Borloo. L'ex-ministre des Finances semble d'ailleurs bénéficier d'une certaine protection. Sa fondation pour l'Afrique a trouvé refuge

---

1. Claude Guéant a été condamné le 23 janvier 2017 à deux ans de prison dont un ferme dans cette affaire. Un pourvoi est en cours.

dans des locaux de l'Élysée... Dans l'affaire Lagarde-Tapie, malgré la mise en examen de son directeur de cabinet, il ressort blanc comme neige d'un interrogatoire avec la PJ. De même, Borloo n'a jamais été inquiété dans l'histoire Écomouv', alors que c'est lui qui, en tant que ministre de l'Écologie, a initié le contrat. Pour près d'un milliard d'euros par an, l'État sous sa houlette avait confié à une société privée la collecte de l'écotaxe, via des portiques électroniques installés sur les routes. Après la plainte d'un député écologiste qui juge la note faramineuse, la justice est contrainte d'ouvrir une enquête préliminaire. Un peu plus tard, dans une étonnante valse-hésitation, le procureur Robert Gelli classe l'affaire avant de la rouvrir. Depuis, les magistrats semblent s'être endormis sur ce dossier. Montant de la facture : un milliard d'euros. En pure perte. Les portiques ayant été démontés après que Ségolène Royal a renoncé à l'écotaxe sur un coup de tête.

De bien mauvais esprits ont beau jeu de relier la baraka judiciaire de Borloo au souhait de Hollande de le voir perturber à son profit le jeu au centre. C'est la théorie d'un magistrat[1] : « Le Château est passé maître dans l'art de pousser ou ralentir le feu sous les casseroles judiciaires. Pour enterrer sans classer, il suffit de donner consigne de continuer à creuser en préliminaire *ad vitam æternam*. Dans ce cas, le dossier reste sous le contrôle direct de la Chancellerie. Et puis, si les enquêteurs s'avèrent être des bras cassés plutôt que des cadors... c'est l'enterrement de première classe assuré ! »

---

1. Entretien du 30 octobre 2014.

Autre chanceux du quinquennat Hollande : Dominique de Villepin. Certes Sarkozy, un temps, voulait pendre son rival « à un croc de boucher ». Mais, depuis, les deux hommes se sont rabibochés grâce à l'intermédiaire du sulfureux homme d'affaires Alexandre Djouhri. Villepin, ancien Premier ministre de Chirac, membre de la promo Voltaire, a échappé, sous Hollande, à une mise en examen pour « subornation de témoins » dans une affaire d'escroquerie et d'abus de confiance, dont le principal accusé est l'un de ses meilleurs amis. Le dossier « Relais & Châteaux » qui avait été initié à la fin du quinquennat Sarkozy est au point mort depuis cinq ans. Lorsqu'en mars 2015, son libraire parisien a été mis en examen dans une autre affaire d'« escroquerie en bande organisée » et de « blanchiment de fraude fiscale », Villepin a dû s'éponger le front. Pourtant les enquêteurs n'ont pas cru bon d'entendre ce bibliophile avisé qui, ces dernières années, a empoché 5 millions d'euros pour la seule vente de ses livres. De même qu'aucune des procédures dans lesquelles Villepin apparaît à l'étranger ne semble susciter la curiosité des magistrats français. À l'inverse, en septembre 2016, deux mois avant les primaires à droite, DDV était entendu comme témoin dans l'enquête sur un possible financement libyen de la campagne de Sarkozy pour la présidentielle. Un témoignage à charge contre l'ex-Président, avaient alors persiflé les mauvaises langues.

Preuve de l'attachement du clan Hollande pour Villepin, en 2012, au début du quinquennat, en manque de personnes de confiance dans la police, le Président avait discrètement sollicité l'ex-Premier ministre pour qu'il lui fournisse des noms.

LA DÉSARKOZYSATION

Le constat est rude : l'impréparation, la méconnaissance de l'appareil policier et judiciaire ainsi que les circonstances ont très vite amené François Hollande à renier ses principes et adopter des méthodes qui n'ont rien à envier à celles de ses prédécesseurs.

2

Valls dans le viseur

À l'époque où François Hollande n'a pas encore renoncé à être candidat à sa propre succession, un autre rival potentiel que Sarkozy est dans son collimateur : Manuel Valls. Le chef de l'État ne va pas se priver de brider les ambitions de son Premier ministre.

Le 5 septembre 2014, Sébastien Gros et Serge Kasparian, attablés au Caméléon, un bistrot chic de la rive gauche parisienne, ne se doutent pas un seul instant qu'ils sont photographiés au téléobjectif. Les policiers des Courses et Jeux qui immortalisent la scène savent que leurs clichés vont faire date. Le chef de cabinet du Premier ministre Manuel Valls est surpris en grande conversation avec le patron de l'un des cercles de jeux parisiens visés par une opération mains propres. Sébastien Gros, trente-cinq ans, est l'homme de confiance de Valls. Le Gardois avait déjà les mêmes fonctions à la mairie d'Évry, puis à l'Intérieur. Ce préfet barbu plutôt beau gosse gère notamment l'agenda du «PM», l'organisation de ses déplacements. De ce fait, il est en lien permanent avec la préfectorale et les services de police. Ce jour-là, il rencontre un drôle de zigoto. Serge Kasparian, la cinquantaine, silhouette massive et visage buriné, dirige le cercle Cadet, un établissement de jeux du nord parisien où l'argent coule à flots. Dans l'ancienne Bourse aux pierres précieuses, voisine du Grand Orient de France, les clients s'adonnent frénétiquement au poker et au punto banco. Le «beau Serge» est à la tête d'un business florissant : outre le Cadet et son restaurant, il possède deux brasseries à Paris et un autre établissement à Aix-en-Provence. Il vient aussi d'investir dans le club de foot de Nîmes, où il a placé un de ses fils gardien de but. C'est à la fin de l'année 2009 que «l'Arménien» a repris le cercle Concorde, qu'il rebaptise aussitôt «Cadet», donnant à croire qu'il tournait la page des précédents propriétaires liés à des clans mafieux corses. Une illusion, si l'on se fie aux enquêtes en cours.

Car Kasparian apparaît bien vite aux yeux des limiers des Courses et Jeux comme l'indigne héritier des pratiques précédentes. Soupçonné de ne pas déclarer toutes ses recettes et d'alimenter en argent propre la pègre corse, il est sous le coup d'une enquête ouverte pour «extorsion en bande organisée, abus de confiance, blanchiment en bande organisée et association de malfaiteurs». Et avec lui, indirectement, apparaît dans le dossier l'homme de main de Valls, supporter du Nîmes Olympique – sans doute par calcul électoral – et préfet de surcroît.

Cette enquête ne doit rien au hasard. Voilà trois ans déjà que Kasparian a été interpellé par les douanes, alors qu'il portait sur lui une très grosse somme d'argent en liquide. Officiellement, c'est le légendaire flair des gabelous qui a permis ce «saute-dessus». En fait, la Direction nationale du renseignement et des enquêtes douanières (DNRED) lui filait le train. Cette unité d'élite est rattachée au ministre de l'Économie, Michel Sapin, le vieux copain de Hollande, on l'a vu. Selon ses investigations, le limonadier n'est qu'un homme de paille tenu par le milieu corse. Il n'a aucun revenu déclaré, ne possède rien, pas plus ses brasseries que le magnifique ryad qui lui sert de pied-à-terre à Marrakech. L'interrogatoire est serré. Kasparian, sous pression, finit par lâcher ce que les douaniers savent déjà. Chaque mois, il doit remettre à un mystérieux Corse 200 000 euros en liquide puisés dans la caisse noire du Cadet. La DNRED met au parfum les flics des Courses et Jeux de la police judiciaire. Ce service était rattaché aux Renseignements généraux jusqu'à leur dissolution, en 2008. C'est d'ailleurs un ancien commandant des RG qui va récupérer le tuyau des douanes et habiller l'histoire auprès de la justice : quelques mois plus tôt, son service a reçu un « renseignement » anonyme faisant état de possibles malversations et d'une équipe de malfaiteurs corses qui dirigerait en sous-main le cercle. En toute logique, le parquet de Paris ouvre une enquête préliminaire le 28 décembre 2012.

Suspicions au sommet

Six mois plus tard, l'embryon de dossier est transmis à Serge Tournaire. Ce juge d'instruction est apprécié à l'Élysée pour son opiniâtreté dans les affaires mettant en cause Sarkozy. Star du pôle financier, il est l'un des premiers à découvrir les surprenantes photos de Sébastien Gros mais aussi à entendre ce qui se dit au cours du déjeuner. Les Courses et Jeux, qui avaient placé Kasparian sur écoute, avaient eu le temps de sonoriser le lieu de rendez-vous. Au Caméléon, le propriétaire du Cadet fait part de ses craintes de devoir mettre la clef sous la porte. Après des scandales à répétion concernant d'autres établissements du même type, le ministre de l'Intérieur, Bernard Cazeneuve, envisage sérieusement d'interdire toutes les salles de jeux fonctionnant sous forme d'association. Pour tenter de convaincre son interlocuteur de plaider sa cause en haut lieu, Kasparian parle d'emplois générés, d'attractions touristiques, etc. Le chef de cab' réclame alors un petit topo écrit sur le sujet. Comme convenu, quarante-huit heures plus tard, Serge Kasparian s'empresse de le lui apporter directement à Matignon. Le plaidoyer du limonadier ne sert à rien. Le Cadet est perquisitionné, quinze personnes placées en garde à vue et Serge Kasparian envoyé en préventive dès octobre. À la Direction des affaires criminelles et des grâces, Robert Gelli, proche de Hollande, suit avec attention le déroulé des événements.

Si la volonté de l'Intérieur est de nettoyer les cercles de jeux, considérés à juste titre comme des lessiveuses à argent sale, l'Élysée y voit sûrement un autre avantage. Certains réseaux corses sont en effet soupçonnés d'alimenter par ce moyen une ou plusieurs caisses noires pour la droite. Les douanes ont, en effet, repéré un énorme circuit frauduleux de rapatriement d'argent passant par la Corse, avec des jetons de casino. Ces derniers, prélevés dans des cercles parisiens, sont monétisés dans des établissements cousins en Afrique. Et puis, avec cette opération main propres, qui touche un proche conseiller de Manuel Valls, l'Élysée double la mise.

L'entourage de Manuel Valls en est pour sa part totalement persuadé : le Château fomente des coups bas. Comme cette fâcheuse rumeur d'une liaison entre le chef du gouvernement et sa ministre de l'Éducation qui alimente les conversations dans les salles de rédaction. L'ami Stéphane Fouks est illico appelé à la rescousse pour éteindre l'incendie médiatique. Le pape de la communication de crise, patron de Havas Worldwide, ex-Euro RSCG, est un copain de fac du Premier ministre. C'est le même qui joue le pompier volant, lorsque l'épouse de Manuel Valls, Anne Gravoin, est épinglée dans *L'Obs*[1]. Un article décrit les conditions de financement de l'orchestre de la jeune femme par un curieux attelage : un mystérieux homme d'affaires algérien représentant en France un conglomérat koweïtien, un marchand d'armes sud-africain, qui préside le plus grand groupe d'armement du continent, et l'homme de confiance du président congolais Denis Sassou-Nguesso, un ancien de la Françafrique décoré en catimini de la Légion d'honneur par Manuel Valls. Dans les couloirs de Matignon, on fait remarquer aux curieux que cette enquête à charge a été conduite par une société d'intelligence économique proche de l'Élysée, qui travaille en sous-main avec la DGSE...

---

1. David Le Bailly et Caroline Michel, « Anne Gravoin : le drôle d'orchestre de Madame Valls », *L'Obs*, 30 mars 2016.

Des infiltrés au gouvernement

Parce qu'il connaît la violence de la politique – pour lui-même la pratiquer – et afin de tenter de parer les coups venus y compris de proches, Manuel Valls s'est organisé afin que rien ne puisse lui échapper. L'information est, estime-t-il, sa meilleure arme. Comme son prédécesseur Sarkozy, le tout nouveau ministre de l'Intérieur en 2012 veut, en s'asseyant dans le fauteuil place Beauvau, devenir à son tour «l'homme le mieux renseigné de France». Grâce à la complicité intéressée de l'ami Fouks, il tisse une véritable toile d'araignée d'informateurs au cœur de l'appareil d'État. De Bercy à Matignon, en passant par la Défense, la Culture ou les Affaires étrangères, les «infiltrés» de Havas au service de Valls sont partout. Ce qui n'empêche pas le ministre, au déclenchement de l'affaire Cahuzac, le 4 décembre 2012[1], de jurer qu'il n'était au courant de rien. Plusieurs éléments permettent d'en douter. D'abord, Valls et Cahuzac se fréquentent depuis belle lurette : rocardiens, puis jospinistes et enfin strauss-kahniens, ils ont bibe-ronné à la même social-démocratie. Ensuite, comme Valls, Cahuzac est proche de Fouks. C'est une conseil-lère formée chez Havas qui se décarcassera pour convaincre la presse que les accusations visant le ministre du Budget sont pure invention. Le 2 avril, lorsque Cahuzac est contraint de passer aux aveux publics, alors qu'il affirmait quelques mois plus tôt «les

---

1. Fabrice Arfi, «Le compte suisse du ministre du Budget Jérôme Cahuzac», Mediapart, décembre 2012.

yeux dans les yeux» face aux parlementaires, n'avoir jamais eu de compte en Suisse, c'est une autre créature de Fouks qui l'aide à mettre en scène ses confessions. Plus tard, la même Anne Hommel, qui avait déjà œuvré pour DSK, fournira de précieux services à Valls à Matignon.

Lorsque la troupe de communicants ne suffit pas, une armée de flics fait mouvement. «Sous Sarkozy, notre patron, Bernard Squarcini, avait déjà l'info sur le compte de Cahuzac au printemps 2012», nous assure un officier alors en poste à la Direction centrale du renseignement intérieur. C'est ce même service qui, deux jours après les révélations de Mediapart sur cette affaire, authentifie l'enregistrement de Jérôme Cahuzac. Une note blanche est établie, enrichie des informations de la Direction centrale de la PJ qui dispose d'un bon indic dans le milieu bancaire suisse. Elle serait parvenue sur le bureau de Valls. Pourtant, le ministère de l'Intérieur, dans un communiqué tricoté par les petites mains de Fouks, assure : «En aucun cas il n'y a eu d'enquête parallèle, ni avant ni pendant celle menée depuis le 8 janvier 2013 sous la direction du procureur de la République de Paris.»

Court-circuit à répétition

La toile d'araignée tissée par le duo Fouks-Valls devient vite intolérable pour le chef du gouvernement Jean-Marc Ayrault. «Un jour, le Premier ministre a tapé du poing sur la table et convoqué le patron de Havas, se souvient l'un de ses anciens conseillers[1]. Une

---

1. Entretien du 7 août 2012.

engueulade mémorable.» Ayrault voyait des espions de Valls partout. Entre l'ex-maire de Nantes et celui d'Évry, le courant n'est jamais passé. Au point que Matignon se permettait de passer commande à certains services de police sans en aviser Beauvau. Cela aurait été le cas fin 2012, quand le Premier ministre s'est fait sévèrement et plusieurs fois tacler par un sénateur PC, il aurait commandé une enquête sur l'impertinent pour lui trouver des casseroles. Le conseiller sécurité d'Ayrault, Jean-Marc Falcone, chargé de faire exécuter la besogne, serait rentré bredouille.

Tout comme Ayrault, Hollande déteste le patron de Havas Worldwide. Au début de son mandat, il donne consigne de «purger les cabinets» des réseaux Fouks. En pure perte. Faut-il y voir un lien? En février 2014, une escouade de policiers de la police judiciaire débarque au siège de Havas à Puteaux. Ils se dirigent aussitôt vers le bureau d'un certain Jean-Philippe Dorent, le «Monsieur Afrique» de Stéphane Fouks, pour une perquisition en règle. Deux ans plus tôt, une enquête pour «corruption d'agent public étranger» a été lancée à l'encontre d'un exploitant de casinos en Afrique, la Pefaco. C'est Tracfin qui est à l'origine de ces investigations : dans un document transmis à la justice, deux mois après l'élection de Hollande, figure le nom de Dorent. Celui-ci conseille en direct plusieurs figures de la politique africaine. Chefs d'État retraités, présents ou à venir. C'est notamment le cas de l'actuel chef d'État du Mali, Ibrahim Boubacar Keïta, que Manuel Valls a fréquenté à l'Internationale socialiste. Keïta a aussi souvent croisé le chemin de Francis Pérez, le patron de la Pefaco.

«Cette affaire, c'est un coup de billard à plusieurs bandes, selon un haut gradé de la police judiciaire[1] rompu aux affaires politico-financières. D'abord, cela permet au Château de faire pression sur IBK. La France a besoin du Mali dans sa lutte contre les terroristes. Cette enquête est une manière de lui faire savoir qu'il n'a aucun intérêt à trahir. Ensuite, elle permet de faire savoir que Valls est aussi dans le viseur. »

Une cible idéale

Lors de cette même perquisition chez Havas, le juge Serge Tournaire met la main sur des documents susceptibles d'ouvrir une nouvelle enquête «incidente» sur les affaires africaines de Bolloré. Le 8 avril 2016, le même magistrat déboule ainsi sans coup férir au domicile et dans les bureaux de Vincent Bolloré. Le groupe Havas aurait, par un habile lobbying, facilité l'octroi à Bolloré Africa Logistics des concessions portuaires de Lomé et de Conakry, au nez et à la barbe de ses concurrents.

Cette descente de police a certainement mis dans l'embarras Jean-Jacques Urvoas. Ce fidèle que Valls a placé au ministère de la Justice est proche de l'homme d'affaires breton dont il lui est arrivé d'emprunter le jet privé pour rejoindre Paris d'une traite depuis sa circonscription de Quimper. Ce n'est pas vraiment le cas de François Hollande qui a confié, dans un livre paru à l'été 2016[2], tout le bien qu'il pensait de Bolloré : un

---

1. Entretien du 19 juin 2014.
2. Gérard Davet et Fabrice Lhomme, « *Un président ne devrait pas dire ça...* » *Les secrets d'un quinquennat,* Stock, 2016.

«pirate», un «catho intégriste» et «quelqu'un dont il faut se méfier [...] mais pas simplement politiquement. Ceux qui ne s'en sont pas méfiés sont morts».

«En quittant la Place Beauvau pour Matignon, Manuel s'est mis paradoxalement en danger, raconte un de ses amis parlementaires. Il n'a pas su résister à la botte que lui a proposée Hollande. On lui avait conseillé de rester à l'Intérieur jusqu'aux régionales de 2015, puis de sortir du gouvernement pour succéder à Jean-Paul Huchon à la tête de la région. Il aurait pu ainsi aborder la primaire avec une image intacte doublée d'une grosse crédibilité sur l'enjeu aujourd'hui décisif de la sécurité.» Histoire de chauffer la place, Manuel Valls avait même envoyé son ex-dir' cab' comme préfet d'Île-de-France... Son jumeau à droite, Nicolas Sarkozy, avait lui compris que pour rester populaire et parer les coups il valait mieux être à l'Intérieur. En 2005, après un court intermède à Bercy, il justifiera d'ailleurs ainsi, devant un parterre d'élus UMP, son retour à la Place Beauvau : «Je reviens pour répondre aux officines et aux coups tordus.»

En octobre 2016, alors que Manuel Valls caresse l'idée de se présenter à la présidentielle, sort un livre qui déstabilise un de ses amis. Dans *Nos très chers émirs*[1], consacré aux liens entre la France et les monarchies du Golfe, le secrétaire d'État chargé des relations avec le Parlement Jean-Marie Le Guen est accusé d'avoir reçu des pots-de-vin de l'ambassade du Qatar. Le jour même de la publication, le chef du gouverne-

---

1. De Christian Chesnot et Georges Malbrunot, publié chez Michel Lafon.

ment dénonce sur les ondes de France Inter une «campagne de déstabilisation» à son encontre. Dans sa tête, les munitions contre Le Guen ont été, en partie, fournies par le Château avec l'aide d'un dévoué artificier, Bernard Bajolet, le directeur de la DGSE[1].

La cible était d'autant plus idéale que Le Guen, censé consacrer tout son temps aux députés et aux sénateurs, accompagne Valls dans nombre de ses déplacements à l'étranger. Avec une prédilection pour les destinations africaines. Parce qu'il se croyait intouchable, le Premier ministre n'a pas vu venir le coup... Pourtant, une fois à Matignon, les réseaux police que Valls avait tissés en deux ans se sont vite détricotés. Comme si une main invisible avait joué des ciseaux pour couper les bons fils au bon endroit. Sa pièce maîtresse dans la hiérarchie policière, Bernard Petit, qu'il avait nommé patron de la PJ parisienne, un poste clef, a brutalement dévissé du 36, après une enquête de la police des polices, un service passé sous contrôle de la Hollandie[2]. Ces mêmes «bœuf-carottes» ont eu dans leurs radars Renaud Vedel, le conseiller sécurité de Valls à Matignon, pour une histoire d'acquisition immobilière. De quoi compromettre le rêve de ce préfet, longtemps au service de la Sarkozie, de devenir un jour directeur général de la Sécurité intérieure. Et que dire de la scoumoune qui frappe le criminologue Alain Bauer depuis que Hollande est à l'Élysée[3]. Peut-être parce que les réseaux police de Valls ont été trop déplumés par le volailler

1. Lire le chapitre «L'autre espion du Président», p. 211.
2. Lire le chapitre «Au 36ᵉ dessous», p. 131.
3. Lire le chapitre «Le Raspoutine de l'Intérieur», p. 55.

Hollande, le général Denis Favier, patron de la gendarmerie, ancien conseiller sécurité de Valls à Beauvau, a
préféré, lui, devancer l'appel. Six mois avant la présidentielle, ce soldat de Valls est en effet parti, à la surprise générale, travailler chez Total.

Privé de ses réseaux police, Manuel Valls qui se
voyait déjà marcher dans les pas de Clemenceau, son
modèle historique, n'est plus qu'un tigre de papier. La
source de renseignements dont il profitait s'est assé-
chée. Il a bien gardé comme Premier ministre un droit
de regard sur les cinq mille écoutes administratives de
sécurité réalisées chaque année. Elles lui permettent de
savoir qui est mis sur écoute, par quel service et pour
quel motif. Mais il sait bien, depuis son passage à la
Place Beauvau, que les informations les plus sensibles
ne passent pas par ce canal trop contrôlé. Lorsque
François Fillon était à Matignon, les membres de son
cabinet aux postes les plus sensibles se méfiaient du
téléphone, craignant d'avoir été mis sur écoute par
l'Élysée.

Valls qui veut tout contrôler, jusqu'à son régime ali-
mentaire drastique, a les nerfs à vif. Il croit voir partout
l'ombre maléfique de Hollande. D'autant que, faute
d'avoir la bonne info au bon moment, il lui arrive de se
prendre les pieds dans le tapis. Ainsi, dans l'affaire du
burkini qui a défrayé la chronique à la fin de l'été 2016.
Le 17 août, le Premier ministre part bille en tête, en
dénonçant une dérive communautariste. Sauf que,
depuis la veille, Bernard Cazeneuve, le ministre de l'Intérieur qui lui a été imposé par Hollande, a sur son
bureau un rapport d'enquête expliquant que la rixe sur
la plage corse n'a rien à voir avec la religion et qu'il n'y

a jamais eu le moindre burkini. Valls est tombé dans un piège. Alors que Cazeneuve connaissait le fin mot de l'histoire, il ne l'a pas fait savoir à Matignon, laissant monter le Premier ministre au créneau avec une fausse info. Résultat : après avoir clamé être favorable à l'interdiction du burkini sur les plages, le Catalan a publiquement été désavoué par certains de ses ministres et s'est pris en pleine figure la décision du Conseil d'État. Au Château, les proches conseillers de Hollande se sont bien amusés du pataquès provoqué par le prétendu héraut de la laïcité.

Des crocs-en-jambe

Formé à l'école Mitterrand, Hollande tente de faire de Valls son Rocard. Et comme son modèle, l'idée que son Premier ministre, héritier de la deuxième gauche rocardienne puisse un jour faire figure d'alternative à une gauche hollandienne « archaïque » et prétendre à l'Élysée lui est insupportable. Pour la campagne de 2012, s'il en fait son chargé de communication, c'est pour le cantonner à un rôle subalterne : de tout temps Hollande a été son propre communicant. Au début de son mandat, il favorise l'ascension d'Emmanuel Macron, ce qui a pour effet de ringardiser le ministre de l'Intérieur. Avec à la manœuvre son coupe-jarret, le député Julien Dray, qui n'apprécie guère son voisin de l'Essonne d'autant qu'il a rêvé, un temps, du fauteuil de l'Intérieur. Dray va cornaquer avec zèle le jeune ambitieux, lui soufflant, par exemple, l'idée d'un ticket avec Hollande. Le poulain se sent pousser des ailes et, coup sur coup, quitte le gouvernement puis se déclare candidat à la présidentielle, le 16 novembre 2016. Troublante coïncidence, ce jour-là, Jean Daubigny, l'ancien directeur de cabinet de Valls à Beauvau, est placé en garde à vue pour fraude fiscale. Pourquoi donc le parquet de Paris, qui avait ouvert en août une enquête préliminaire, déclenche-t-il une garde à vue du préfet au moment où Valls se prépare à se déclarer également candidat ? Un autre détail nourrit la paranoïa de Valls et des siens : la plainte contre le préfet Daubigny a été déposée par Bercy dont le patron, Michel Sapin, est l'ami du Président. Le même homme que Macron soupçonnait déjà d'être à l'origine de la fuite dans la presse de ses démêlés avec le fisc qui lui reprochait d'avoir minoré son patrimoine immobilier afin de ne pas figurer dans la liste des assujettis à l'ISF...

Sous le quinquennat Hollande, la paranoïa est assurément une maladie contagieuse. Depuis qu'Arnaud Montebourg rêve tout haut de l'Élysée, il ne communique plus que sur Telegram, la messagerie cryptée censée échapper aux grandes oreilles. Le gagnant de la primaire, Benoît Hamon, utilise le même circuit. L'homme du Redressement productif redoute un coup de Jarnac de François Hollande. Montebourg sait qu'en politique la pièce se joue en partie à l'arrière-scène, là où œuvrent les officines. Pour l'aider à parer les coups, il aurait pu compter sur un homme de l'ombre, un ami, ancien agent de la DGSE qui a fait une deuxième carrière dans l'intelligence économique. Mais Pierre-Antoine Lorenzi, qui est par ailleurs un proche de Squarcini, l'ancien patron de la DCRI sous Nicolas Sarkozy, est lui aussi visé par une enquête judiciaire initiée par Tracfin, doublée d'un «travail» dont certains assurent qu'il a été commandé par le puissant Bernard Bajolet, proche de Fançois Hollande.

Dans la ménagerie du PS, il n'y a pas que l'éléphanteau Montebourg à regarder avec inquiétude du côté du Château. L'éléphant Fabius se demande, lui, si François Hollande n'a pas un tantinet à voir avec les malheurs judiciaires qui s'abattent sur son fils, Thomas. Plus encore que Manuel Valls, Laurent Fabius est honni par Hollande, qui sait qu'il lui doit le sobriquet de «Fraise des Bois». Le 30 janvier 2016, au moment même où il clôture triomphalement la COP21 qu'il a présidée, son fils est mis en examen pour «faux, escroquerie et blanchiment», comme si quelqu'un avait voulu gâcher la fête. La grenade avait été dégoupillée deux ans plus tôt suite à une plainte de sa banque car ce joueur invétéré avait produit un faux e-mail pour débloquer un crédit de jeu au Grand Casino de La Mamounia à Marrakech. «Tant que Laurent Fabius était utile à Hollande au Quai d'Orsay, les dossiers judiciaires du fils ont étrangement mijoté à feux doux, puis quand il a été sur le départ après avoir bouclé la COP21 tout s'est accéléré», analyse un flic de la PJ[1]. Une chose est sûre : depuis qu'il est président du Conseil constitutionnel, le feu judiciaire a été rallumé contre le fiston. Les policiers ont remis le couvert sur les conditions dans lesquelles Thomas Fabius a acheté, début 2012, un appartement parisien à 7 millions d'euros. Soit deux fois le patrimoine déclaré de son père. Pour arriver à leurs fins, les enquêteurs ont un temps tenté de tirer un fil qui dépassait sur le côté, en

---

1. Entretien du 22 décembre 2015.

s'intéressant aux chevaux de course de la vendeuse du fameux appartement. Une histoire qui aurait ainsi été «rhabillée» avec, à la manœuvre, le commandant des Courses et Jeux qui «pilote» aussi l'enquête sur le cercle Cadet, celle-là même qui embarrasse le directeur de cabinet de Valls...

Derrière ces ennuis à répétition qui ciblent les principaux rivaux du Président sortant, difficile de ne pas voir la patte de Hollande. Mais le principal intéressé s'en défend : jamais, jure-t-il à qui veut l'entendre, il n'a donné l'ordre de monter des opérations de déstabilisation. D'ailleurs, avance-t-il pour preuve, personne n'en trouvera la moindre trace.

Ce qui est certain, c'est que Hollande est à certains égards un redoutable tacticien. Il a su, tout au long de sa carrière, avoir un ou plusieurs coups d'avance sur ses adversaires. Et, en même temps, bénéficier d'une incroyable baraka. Mais l'excès de confiance est mauvais conseiller. Ses multiples confidences distillées à une bonne demi-douzaine de journalistes, censées le mettre sur orbite pour un second mandat, l'ont définitivement cloué au sol. Et cela, aucun flic ni aucun espion n'a su le prévenir.

3

Le Raspoutine de l'Intérieur

«Tu sais, Manuel, on est en 1958, je suis le général de Gaulle, nous sommes en train de vivre une période révolutionnaire, c'est le moment de mettre tous les talents au gouvernement.»

C'est par ces mots que, dans les jours suivant son arrivée à l'Élysée, Nicolas Sarkozy, encore enfiévré par sa victoire, propose à Manuel Valls de devenir son ministre de l'Intérieur. Un homme, à la fois énigmatique et public, a soufflé cette idée surprenante au nouveau chef de l'État. C'est le parrain du deuxième fils de Valls, son ami d'adolescence, devenu le criminologue attitré de Sarkozy, conseiller omnipotent pour les questions de sécurité et de délinquance.

Cela fait belle lurette qu'Alain Bauer connaît Nicolas Sarkozy. Leur première rencontre date de 2002. Celui qui est alors maire de Neuilly-sur-Seine se prépare pour la Place Beauvau, le portefeuille que Chirac lui a promis. Il a convié à déjeuner dans ses appartements de l'île de la Jatte un des artisans du virage sécuritaire de la gauche, Bauer. «Son entourage m'avait prévenu : le repas ne durera pas plus de quinze minutes, ne le prenez pas mal, il ne va pas manger la même chose que vous, mais c'est normal; et il ne va pas vous écouter, mais ça ne fait rien, il est toujours comme ça. On est restés une heure quinze ensemble. Ses conseillers, intrigués par la durée inhabituelle de l'entretien, passaient une tête régulièrement pour voir si tout allait bien...», se souvient le criminologue[1] qui nous a donné rendez-vous à l'heure du thé au bar de l'hôtel Bristol, à deux pas du ministère de l'Intérieur...

Cette rencontre marque le début d'une idylle. Durant une décennie, Bauer va murmurer à l'oreille du ministre de l'Intérieur, puis du président Sarkozy. Placé à la tête de l'Observatoire national de la délinquance, il devient le «Monsieur Chiffres» de la Place Beauvau. C'est lui qui imprime cette marque de fabrique tant décriée de la politique sécuritaire de Sarkozy : le pilotage de la police par les statistiques. La symbiose entre les deux hommes est telle qu'après le refus de Valls d'entrer au gouvernement, Sarkozy songe même un temps à faire de Bauer son secrétaire d'État à la Sécurité. Exaspéré par sa ministre de l'Intérieur, il remplacerait bien la chiraquienne Michèle Alliot-Marie par sa favorite du moment Rachida Dati, flanquée de son criminologue préféré. Le prétexte est tout trouvé : la gestion calamiteuse des deux nuits d'émeutes à Villiers-le-Bel. «J'ai longtemps hésité avant de décliner l'offre, mais je n'ai pas regretté mon choix une seconde», confie aujourd'hui l'intéressé. Alain Bauer a toujours préféré l'ombre à la lumière. Là où il excelle, c'est en coulisses. C'est ainsi qu'en 2002, il susurre pour le poste clef de la

---

1. Entretien du 12 mai 2016.

eauvau le nom de son poulain Manuel Valls, et en 2012, il parvient enfin à l'asseoir dans le fauteuil.

Rendez-vous pour initiés

Plus que jamais il sera le conseiller sans titre, « le Raspoutine de l'Intérieur ». Alors qu'avec Sarkozy, il disposait de son rond de serviette place Beauvau, avec Valls, il devient le visiteur du soir, le consultant occulte. Difficile pour un ministre de Hollande de s'afficher publiquement avec un Bauer désormais qualifié de « sarkozyste » par les médias. Pour Valls, son ami de trente ans sent un peu trop le soufre. Bauer prend les devants. À peine son ami endosse-t-il l'uniforme du premier flic de France qu'il démissionne de la présidence de l'Observatoire de la délinquance. « J'ai dit à Manuel que moi à ce poste, ce serait intenable. Il était soulagé, raconte le criminologue, qui précise avec gourmandise : ils ont mis un an à me trouver un remplaçant pour finir par prendre mon vice-président, avec qui je travaillais depuis vingt-cinq ans... »

Quoi qu'il en soit, Sarkozy aura déteint sur Valls, et si ses ennemis le qualifient de « Sarkozy de gauche », c'est bien à cause du teinturier Bauer. « Comme ministres de l'Intérieur, Sarkozy et Manuel ont des points communs, plaide Alain Bauer entre deux gorgées de Coca light. Du moins le Sarkozy 1. Sarkozy 1 a fait du Clemenceau. »

À la Place Beauvau, Bauer sera pour son ami un discret et efficace ouvreur de portes. Il faut dire qu'il dispose à son trousseau de la clef trois points, véritable passe-partout dans ce ministère. Les policiers sont attirés par les lumières des temples francs-maçons telles les lucioles par les lanternes. De tous les ministères, c'est la Place Beauvau qui compte le plus de « frères ». À tous les étages, dans tous les bureaux, et d'autant plus qu'on grimpe dans la hiérarchie. Près de 10 % des commissaires seraient maçons.

La maison poulaga ressemble à l'Inde avec ses castes. On est de la PP ou du ministère, du 36 ou de la DSPAP, de la DGSI ou de la DRPP, en même temps, on appartient au clan des gardiens de la paix, des officiers, des commissaires, des contrôleurs et inspecteurs généraux, des directeurs ou des préfets, sans oublier l'étiquette « de droite » ou « de gauche ». Dans ce monde hyper-cloisonné où l'information, c'est le pouvoir, la franc-maçonnerie permet de faire circuler l'info. Et plus encore lorsqu'on est membre d'une « fraternelle », ces associations loi 1901 qui regroupent par profession des francs-maçons de toutes les obédiences. À la Place Beauvau, c'est le club La Reynie – du nom du premier « préfet » de police de Paris sous Louis XIV – qui se voit reprocher de tirer les ficelles.

Lorsque Manuel Valls innove en organisant en 2014 une cérémonie de vœux pour les maçons au ministère, les dignitaires des obédiences apprécient ce geste inédit. Ils savent qu'ils peuvent compter sur le frère Valls qui, même s'il est aujourd'hui « en sommeil », aura passé seize ans sous le maillet. C'est en avril 1989, dans la loge Ni Maîtres Ni Dieux du Grand Orient de France, que le jeune conseiller de Michel Rocard est initié. Six ans plus tard, il rejoint la loge L'infini maçonnique que vient de fonder son ami Alain Bauer, lequel deviendra, au début des années 2000, le grand maître du Grand Orient de France.

Un ouvreur de portes

Lorsque Valls prend ses fonctions à l'Intérieur, le frère Bauer lui susurre les noms de policiers de confiance, même s'ils ne sont pas des «frères» avec lesquels le ministre pourra travailler en off. En l'occurrence, Bernard Petit, alors numéro deux de la PJ, fiable aux yeux de Bauer et René Bailly, le directeur du renseignement à la préfecture de police de Paris. De même qu'il assure avoir favorisé le choix de Patrick Calvar pour prendre la DCRI.

L'ex-grand maître croit un temps pouvoir placer ses «frères» sur des cases contrôlées par le Château. Après avoir tout de suite positionné Didier Lallement au poste de secrétaire général du ministère de l'Intérieur, un poste qui donne notamment la main sur les carrières du corps préfectoral, Bauer caresse l'idée folle de le mettre à la tête de la Préfecture de police de Paris. Il se heurte au veto de l'Élysée. Idem lorsqu'il s'emploie à faire nommer directeur général de la police nationale (DGPN), son ami Émile Pérez. Homme de réseaux s'il en est, «Milou», qui dirigea le Syndicat national des commissaires de police, reste toutefois en tant que patron de la puissante Direction de la coopération internationale, un canal essentiel de remontée d'informations pour Valls. «Concernant la nomination de l'actuel DGPN, Jean-Marc Falcone, Manuel avait donné sa parole à Ayrault de recaser son conseiller sécurité. Les `té tendues. J'ai maintenu mon point de clivant», précise Bauer, qui prend ...ts comme un gamin sélectionne ...u boîte.

...rangins, Bauer en compte aussi en Sarkozie. ...actuel secrétaire national des Républicains sur les questions de sécurité est un intime qui a fait de Bauer le parrain de l'un de ses cinq enfants. Avant d'entrer en politique, le frère Bruno Beschizza a longtemps dirigé le syndicat Synergie-Officiers. Est-ce cette «protection» qui a permis après l'alternance à ce commandant nommé sous-préfet par Sarkozy de conserver pendant deux ans un bureau place Beauvau? Un privilège qui ne lui sera retiré, par la gauche, qu'une fois élu maire d'Aulnay-sous-Bois. La rumeur court aussi qu'un autre Sarkoboy, qui lui n'est pas franc-maçon, a été un temps «protégé» par Bauer. Avec l'arrivée de Hollande, le patron de la police Frédéric Péchenard ne fait pas tout de suite les frais de l'alternance. Durant dix-huit mois, il devient délégué ministériel de la sécurité routière. Une bienveillance qui peut s'expliquer : lorsque Péchenard était DGPN, il a rendu service à Alain Bauer en sauvant un de ses protégés.

Un businessman de gauche

Outre la franc-maçonnerie, Bauer et Valls ont en commun d'avoir effectué leurs classes politiques grâce à Michel Rocard. L'ex-ministre de l'Intérieur se prétend l'héritier du social-démocrate. Ce n'est d'ailleurs pas un hasard s'il a amené dans ses bagages de Beauvau à

60

Matignon l'ancien chef de cab' de Rocard devenu son conseiller spécial, le très fidèle Yves Colmou, par ailleurs membre du Grand Orient de France.

À la fac de Tolbiac, ils sont trois jeunes rocardiens inséparables, attisant la révolte contre la loi Devaquet sur l'Université. Valls en agitateur d'amphi, Bauer qui arrondit les angles avec les RG de la Préfecture de police et Stéphane Fouks, le futur patron de Havas WorldWide qui s'initie à la communication politique.

Le 5 mai 2012, la veille du second tour de l'élection présidentielle, les trois amis fêtent leurs trois fois cinquante ans, au Drouant, le restaurant parisien, entre Palais-Royal et Opéra, où chaque année le Goncourt est décerné. Fine gueule, Alain Bauer savoure avec d'autant plus de plaisir son gâteau préféré – le fraisier – que le lendemain, si Hollande l'emporte comme attendu, Manuel sera ministre de l'Intérieur. Le troisième larron, Stéphane Fouks, n'est guère apprécié par le futur chef de l'État. Hollande considère les communicants comme des vendeurs de lessive.

Comme ses deux autres amis, Fouks a d'ailleurs beaucoup misé sur Dominique Strauss-Kahn, mais l'affaire du Sofitel a fait exploser en vol ses espoirs. La spectaculaire arrestation à New York du favori des sondages a libéré la voie à François Hollande, alors patron du PS, lui laissant le temps de se préparer pour la primaire socialiste. Quant au plan initial de Sarkozy, il a échoué : en toute discrétion, un groupe de flics avait conduit une enquête sur les soirées coquines de DSK, financées par un ami entrepreneur, du côté de Lille. L'affaire du Carlton aurait dû exploser juste au moment de la primaire, disqualifiant DSK mais aussi tout le PS.

Las, les écarts du directeur du FMI avec une femme de chambre dans un hôtel new-yorkais ont contrarié les espoirs de Sarkozy. La chute précipitée de DSK provoque des larmes de crocodile chez Alain Bauer qui aurait été tenu informé quasi en temps réel par Émile Pérez, le responsable de la coopération policière internationale. Lui-même en contact permanent avec l'officier de liaison de la DCI, en poste aux États-Unis. Une vraie chaîne de l'amitié...

Le fait d'avoir son copain de fac à Beauvau, puis à Matignon, ne peut que servir les affaires de Bauer. Car l'ancien grand maître est aussi un businessman. Il a d'abord prospéré en vendant des audits sécurité avec sa société AB Consulting. Dans les années 1990, quand il facture ses rapports aux maires de banlieue ou de province, Bauer dispose d'une bonne source pour les alimenter en statistiques, en la personne du préfet de police Philippe Massoni, qu'il a connu au moment de la loi Devaquet, lorsqu'il dirigeait les RG. Les mauvaises langues ajoutent que d'une municipalité à l'autre, Bauer vend la même soupe. « Sur les questions de sécurité, je suis devenu *le* référent, et venant de la gauche, j'ai une double légitimité, j'assume le gourdin et le cerveau », se justifie-t-il[1]. En 2010, AB Consulting a fermé pour devenir AB Conseil, une SARL qui fait dans l'audit de sécurité et la gestion de crise pour les grandes entreprises. À commencer par Airbus.

En 1998, lors d'un salon aéronautique, Jean-Claude Gayssot ministre communiste des Transports et « grand copain » de Bauer, le présente à Jean-Luc Lagardère, le

---

1. Entretien du 12 mai 2016.

patron du groupe éponyme immédiatement séduit. Le lendemain matin, Bauer a rendez-vous dans les locaux de l'avionneur. L'idylle avec Airbus dure toujours. Derrière ont suivi EDF, Total, Lafarge, Accor, la SNCF ou encore Renault... en tout, une trentaine de clients aux chiffres d'affaires impressionnants. «Dans la tête des dirigeants de ces grandes sociétés, signer un contrat avec Bauer, c'est investir sur l'avenir», témoigne un haut cadre[1] d'un groupe français. Mais Bauer ne se contente pas de l'Hexagone. Devenu consultant globe-trotter en sécurité, AB passe son temps entre la Chine et les États-Unis où il conseille notamment la police de New York.

De goût et d'argent

La réussite d'Alain Bauer et sa fortune supposée font des envieux. Elles intriguent aussi. Jusqu'au plus haut niveau de l'État. Pour lever le doute sur des liens supposés de Bauer avec la CIA, la DGSE s'est intéressée à son patrimoine, notamment à sa propriété dans le Colorado. Le Château en est convaincu : Bauer pourrait être un des argentiers de la campagne présidentielle de Valls. «Croire que l'on peut mener une campagne présidentielle, dans la limite des 22 millions d'euros fixés par la loi, c'est une plaisanterie ! reconnaît un parlementaire familier des arrière-cuisines de la politique où l'on fait chauffer la marmite. Il faut de l'argent, beaucoup d'argent. Certains en collectent pour que d'autres en

---

1. Entretien du 17 juin 2015.

dépensent. La meilleure façon de couper les ailes d'un adversaire politique est de s'attaquer à celui dont on pense qu'il tient le porte-monnaie. »

Ce ne serait donc pas un hasard si le parquet national financier s'est soudain intéressé au business de l'ami de trente ans de Valls. En décembre 2014, la Direction centrale de la police judiciaire s'est vu confier une discrète enquête préliminaire sur certains des contrats noués par AB avec une filiale de la Caisse des dépôts et consignations (CDC). L'homme à l'origine de cette curiosité policière n'est autre que l'un des grognards de Hollande, Jean-René Lemas. L'ancien secrétaire général de l'Élysée s'est en effet étonné dès sa nomination à la tête de la CDC du montant des prestations que son prédécesseur avait conclues avec AB Conseil. Pour Raspoutine[1], cela ne fait pas un pli, la flèche décochée contre lui vise Manuel : «Je vois bien l'intérêt : ils ont voulu se faire Valls, alors ricochons sur Bauer, se sont-ils dit. Lemas l'a fait pour faire plaisir à Hollande, cela lui ressemble bien. » Et d'assurer : «La Caisse était demandeuse, j'ai gardé tous les contrats. Depuis la polémique, ils m'ont d'ailleurs rappelé pour qu'on continue à travailler ensemble. Ce que j'ai bien sûr refusé. » L'enquête poursuit son cours : le 10 janvier 2017, le domicile d'Alain Bauer a été perquisitionné.

En revanche, AB estime ne pas être la cible de l'affaire Gardère, du nom de cet ancien flic de la Sarkozie, devenu préfet, puis directeur du Conseil national des activités privées de sécurité (CNAPS). Ce dernier est perquisitionné en 2015, mis en garde à vue et suspendu

---

1. Entretien du 12 mai 2016.

de ses fonctions pour des soupçons de corruption[1]. Or Alain Bauer préside le CNAPS. Avec Gardère, ils accordent – ou non – des agréments à des centaines de sociétés de sécurité et de gardiennage. Tous deux francs-maçons, Bauer et Gardère se connaissent depuis des années. Quand il était directeur départemental de la sécurité des Hauts-de-Seine, Gardère a prêté main-forte à Bauer pour ses audits. Propulsé sous Sarkozy directeur adjoint du cabinet du ministre de l'Intérieur, Claude Guéant, il a également nourri le *Livre blanc sur la sécurité publique* que AB a cosigné avec le préfet de police d'alors, Michel Gaudin. Et c'est encore lui qui a mis en musique le CNAPS, une idée que Bauer a soufflée à Sarkozy.

Le déclenchement des affaires judiciaires qui le visent directement ou indirectement ont la vertu de faire sourire Bauer[2] : «Tous les jours, quand j'allume mon téléphone, je dis "Bonjour Patrick !", avant je disais "Bonjour Bernard !". Je ne sais pas si Patrick Calvar m'écoute, mais si c'est le cas, cela doit le troubler. C'est un petit jeu que j'aime bien.»

Une chose est sûre : Raspoutine n'est pas en odeur de sainteté au Château. Lorsqu'à l'été 2012 il croit pouvoir enfin diriger une section universitaire de criminologie, spécialement ouverte pour lui au Conservatoire national des arts et métiers, la ministre de l'Enseignement supérieur dit niet sur ordre du Premier ministre Jean-Marc Ayrault, inspiré par Hollande. C'est finalement la gendarmerie, alors dirigée par un homme de Valls, qui lui

---

1. Lire le chapitre «Les carottes sont cuites !», p. 91.
2. Entretien du 14 juin 2016.

accordera ce dont il rêvait depuis toujours : une chaire universitaire au sein d'un master créée en partenariat avec l'École des officiers de la gendarmerie nationale.

Manuel Valls a également dû batailler ferme pour élever son ami au grade de commandeur de la Légion d'honneur. Le grand chancelier, qui reçoit ses ordres de l'Élysée, s'est fait tirer l'oreille pour accorder la décoration. Alain Bauer a finalement eu droit à son insigne, prélevé sur le contingent du Premier ministre. La cérémonie, qui s'est tenue le 25 octobre 2016, à Matignon, a rassemblé un aréopage très œcuménique, puisque se pressaient parmi les invités l'ami Stéphane Fouks, Renaud Vedel, le conseiller des Affaires intérieures de Manuel Valls, le vallsiste garde des Sceaux Jean-Jacques Urvoas, le ministre de la Défense Jean-Yves Le Drian et son redouté directeur de cabinet Cédric Lewandowski. Mais aussi Ange Mancini, ancien coordinateur du renseignement devenu le « Monsieur Afrique » du groupe Bolloré, le sarkozyste Henri Proglio, ex-président d'EDF, le frère policier encarté LR Bruno Beschizza, Michel Gaudin et Frédéric Péchenard.

Malgré la défaite de son ami Valls et ses ennuis judiciaires, nul doute que Raspoutine trouvera, à droite comme à gauche, un frère pour lui faire une place dans les coulisses de la République.

4

L'étoile filante

Le rituel se répète chaque semaine. En début de soirée, une voiture avec chauffeur dépose son passager devant le domicile du Premier ministre, rue Keller, dans le quartier de la Bastille. Sitôt sortie du véhicule, une haute silhouette à la coupe militaire rejoint d'un pas pressé l'appartement de Manuel Valls. Il y a moins d'une demi-heure, ce visiteur du soir quittait son bureau place Beauvau. Et, comme à chaque fois, sans prévenir quiconque de sa destination. Ce rendez-vous hebdomadaire entre le général Denis Favier, patron de la gendarmerie, et le Premier ministre de l'époque doit rester secret. Le ministre de l'Intérieur, Bernard Cazeneuve, qui a succédé à Valls, ne doit surtout pas être mis dans la confidence. Jusqu'à ce qu'il démissionne à l'été 2016, Denis Favier était avec cent vingt-cinq mille hommes sous ses ordres, les yeux et les oreilles de Manuel Valls. Et plus encore : son bras armé.

Grâce à cette alliance, la gendarmerie prendra sa revanche sur l'ère Sarkozy, où elle a failli se dissoudre comme un sucre dans du café chaud.

Entre Denis et Manuel, la rencontre date d'avant l'alternance. Avec dans le rôle du marieur : Jean-Jacques

Urvoas. À l'époque, le « Monsieur sécurité » du PS organise dans la plus grande discrétion des réunions pour peaufiner le programme sécuritaire de la gauche. Par peur d'un espionnage en règle par les policiers sarkozystes, les séances de travail se déroulent dans un climat paranoïaque, les participants sont priés de laisser leur téléphone portable à l'entrée et même d'en enlever la batterie. Lors de ces réunions quasi clandestines, les gendarmes sont particulièrement bien représentés. Valls qui sait qu'il deviendra premier flic de France en cas de victoire de Hollande, y participe assidûment. « Entre lui et moi, le courant est tout de suite passé », se souvient Favier[1]. C'est avec la bénédiction de sa hiérarchie que l'officier dialogue avec les élus de gauche. Pour la gendarmerie, ce choix est stratégique. C'est même une question de survie. Si Sarkozy est réélu, ils craignent qu'il ne mette à exécution son idée de fusionner totalement la gendarmerie avec la police. En 2008, il a déjà mis sous la coupe de l'Intérieur les gendarmes qui dépendaient, jusque-là, du ministère de la Défense. Il leur a fallu, dans la douleur, s'adapter à cette étrange cohabitation. Désormais, ce qu'ils craignent par-dessus tout, c'est la prochaine étape : une sorte de fusion-acquisition, comme on dit dans le Cac 40.

Nicolas Sarkozy, qui adore les flics mais n'aime pas les militaires, a pris un malin plaisir à maltraiter les gendarmes. Ne les a-t-il pas cantonnés à la « délinquance ordinaire », mis sur la touche pour l'anti-terro, exclus du renseignement intérieur dévolu à la police, réduits au rôle de « force supplétive » dans la lutte

---

1. Entretien du 16 juillet 2012.

contre le crime organisé ? Et en matière d'intelligence économique, ils ont été consignés à la protection des petites entreprises... Bref, Sarko les considérait comme des godillots et voulait faire d'eux des gardes champêtres améliorés.

En 2010, il a même viré comme un malpropre leur patron. Le général Roland Gilles est prévenu à 17 heures qu'il sera limogé le lendemain en Conseil des ministres et expédié ambassadeur en Bosnie. À sa place, le chef de l'État nomme un affidé, Jacques Mignaux, son ancien conseiller sécurité à Beauvau. Un jour, face à des colonels et généraux médusés, ce militant aurait affiché la couleur : « Je suis là pour faire réélire Nicolas Sarkozy. » Pour beaucoup de gendarmes qui se sentent alors vendus à l'ennemi, Mignaux est devenu patron avec pour mission de préparer la liquidation.

C'est donc par calcul que les bleus misent sur la gauche pour sauver leur peau. Ils recherchent des généraux compatibles. Deux noms sortent du képi. David Galtier et Denis Favier. Le premier hissé au rang de numéro trois de la gendarmerie en 2011 a comme atout sa proximité avec le maire de Dijon, François Rebsamen, intime de Hollande et persuadé, en cas de victoire du PS d'empocher le portefeuille de l'Intérieur. Galtier et Rebsamen ont un point commun : Pierre Joxe. « Rebs » en a été le conseiller à Beauvau, tandis que le gendarme fut son aide de camp à la Défense. « Avoir servi Joxe un jour, c'est appartenir à une même famille, au même réseau, décrypte un de ses membres éminents[1]. C'est pourquoi les réseaux de Pierre dans le monde de

---

1. Entretien du 7 août 2012.

la défense, de la justice et de la sécurité lui survivent.» Avec Favier, la gendarmerie joue la carte Urvoas qui, après avoir porté la bannière de DSK, a choisi de défendre les couleurs de Valls. Un an avant la présidentielle, Denis Favier est donc mis en réserve à la tête de la gendarmerie d'Île-de-France. Un tremplin hiérarchique mais pas trop exposé aux bourrasques politiques. Le général y gagne sa quatrième étoile qui deviendra... sa bonne étoile.

Les frères à la porte

Lorsqu'il est nommé à la Place Beauvau en mai 2012, Manuel Valls fait donc naturellement de Denis Favier son conseiller gendarmerie. Moins d'un an plus tard, le nouveau ministre le nomme numéro un des pandores : directeur général de la gendarmerie nationale. Colonel en 2007, général d'armée cinq ans plus tard, Favier a réalisé une fulgurante course aux étoiles.

Favier est à peine intronisé directeur général de la gendarmerie nationale (DGGN) que frappe à sa porte un étrange émissaire. Le président d'honneur de la fraternelle de la gendarmerie ! C'est une tradition : chaque fois qu'un nouveau patron est nommé, le représentant des pandores francs-maçons vient se présenter à lui, et délivrer quelques messages. «Parce qu'il n'est pas franc-maçon, Favier a été considéré comme un obstacle dès le début, raconte une éminence de la fraternelle[1]. On lui a envoyé un général cinq étoiles pour lui dire en

---

1. Entretien du 7 janvier 2014.

substance : "Tu ne nous fais pas la guerre, on ne te fait pas la guerre." Ça n'a pas marché, alors on a arrêté la danse des sept voiles pour essayer de le "réduire", comme on dit en franc-maçonnerie. En clair "réduire" sa capacité de nuisance supposée en lui bridant ses moyens d'actions Même échec. On a alors pensé : "On va le contourner." Peine perdue. Comme c'était impossible de faire sans lui, en fraternelle, on s'est donc mis d'accord : même s'il n'est pas "franc-maçon friendly", on va aider le DGGN à influencer la Place Beauvau. Notre objectif était simple : que la franc-maçonnerie participe coûte que coûte aux prochaines réformes. Et aide la gendarmerie face à la police. »

Ainsi dès qu'un projet de loi ou de décret concerne les gendarmes, la fraternelle s'en saisit et désigne des frères qui, pour défendre les intérêts de la maison, vont faire du lobbying en interne comme auprès des parlementaires maçons. En 2009, déjà, lorsqu'il est question de restreindre l'utilisation de l'arme de service, la fraternelle actionne les frères députés et sénateurs pour qu'ils laissent aux pandores le droit de faire feu après sommation, sans devoir invoquer la légitime défense comme les policiers...

Le poids des frères dans la gendarmerie est plus discret que dans la police, mais tout aussi important. Chez les flics, être passé sous le bandeau facilite mutations et promotions. Chez les pandores, la fraternelle, qui regroupe un bon millier de membres parmi lesquels beaucoup d'officiers supérieurs et une pluie d'étoiles, défend d'abord l'institution.

Bien sûr, si un frère est en danger, les autres volent à son secours. Ainsi, en décembre 2013, quand le général

de corps d'armée Bertrand Soubelet étrille maladroite-
ment devant une commission parlementaire la politique
pénale de la garde des Sceaux Christiane Taubira, les
membres de la fraternelle font le «signe de détresse»
pour tenter d'atténuer les sanctions qui menacent de
s'abattre sur son képi. Un geste rarissime. «Seulement»
muté comme responsable de l'outremer, Soubelet se
vengera deux années plus tard, en publiant une sorte de
programme électoral, sous la forme d'un livre intitulé
Tout ce qu'il ne faut pas dire[1]. Dix-huit jours avant la
sortie de l'ouvrage, pressentant qu'il va devoir affronter
seul la tempête sans le soutien de ses frangins, le général Soubelet se fend d'une bafouille penaude au ministre
de l'Intérieur, Bernard Cazeneuve, pour l'assurer que
«le contenu du livre n'est ni un règlement de comptes
ni une prise de position politique». Soubelet n'a pas
respecté «les règles qui régissent le système», autrement dit le devoir de réserve, tranchera publiquement
Favier, le patron des gendarmes, avant de le relever de
son commandement. Et cette fois, les fils de la veuve ne
broncheront pas.

Des «bleus» sans âme

«Favier est un très bon chef, mais il est impitoyable,
c'est très compliqué d'exister à côté de lui, souffle un
étoilé[2]. Un jour, il a convoqué un colonel dans son
bureau et l'a traité de nain...» C'est d'ailleurs ce carac-

---

1. Plon, 2015.
2. Entretien du 27 mars 2014.

tère en acier trempé qui a séduit Valls. Certains parlent même d'un «envoûtement», survenu à l'été 2012. Après une poussée de fièvre dans un quartier chaud d'Amiens, le tout nouveau ministre de l'Intérieur se rend sur place. Alors qu'il avance à pied dans la cité, son cortège se trompe de chemin, Valls est alors pris à partie, hué, bousculé. Son service d'ordre est totalement débordé. Le général s'interpose alors pour protéger le ministre. «Ce jour-là, Favier a gagné ses galons de DGGN», se remémore un témoin de la scène. Il ne fera qu'une bouchée du DGPN d'alors, Claude Baland. Comme se plaît à le dire le général[1] : «À ce poste, il faut un chef de guerre, pas un préfet.» «Déjà, lorsque Favier conseillait Valls à Beauvau, son homologue police qui était juste un commissaire divisionnaire n'existait pas, regrette un ponte de la maison poulaga[2]. Favier nous a fait beaucoup de mal, il a affaibli le DGPN. Baland ne voyait rien venir. Son successeur, Falcone, pareil. Avant même de monter sur le ring, il avait déjà perdu à la pesée...»

De quoi donner le vague à l'âme à l'ancien DGPN Michel Gaudin[3] : «Les gendarmes sont terribles! On allait vers leur disparition. La gauche, grâce à Valls et Favier, les a sanctuarisés.» De fait, en trois petites années, les pandores ont regagné le terrain perdu sous Sarkozy.

Exclus de la communauté du renseignement par un oukase de juin 2010, les gendarmes avaient bien tenté de reprendre la place des Renseignements généraux,

---

1. Entretien du 17 février 2014.
2. Entretien du 28 avril 2016.
3. Entretien du 19 février 2014.

dissous deux ans plus tôt. Des colonels avaient fait le tour des préfets pour leur vendre leurs «renseignements gendarmerie», soit «RG» : une appellation qui, évidemment, ne devait rien au hasard. Les grands flics qui entouraient Sarko avaient alors tapé du poing sur la table. «On a dû tout remballer, râle un pandore[1]. Pour bien montrer qu'on abandonnait la bataille, on a même été obligés de débaptiser notre Bureau renseignement en Bureau de veille opérationnelle!»

Grâce à Valls et sa réforme du renseignement territorial, les gendarmes sont revenus par la fenêtre : «Favier a réussi le tour de force de créer une sous-direction du renseignement qui ne porte pas ce nom», s'énerve un commandant de la DGSI[2]. Pour ne pas agiter le chiffon rouge, le mot tabou a été remplacé par «anticipation opérationnelle». Ce qui donne SDAO pour «Sous-direction de l'anticipation opérationnelle». L'emballage est différent, mais le contenu est le même. Et l'ambition non dissimulée d'en faire un poste avancé afin de rejoindre un jour la sacro-sainte communauté du renseignement, qui regroupe déjà DGSE, DGSI, DRM, DRSD, DRNED, Tracfin et CNR[3]. Avec l'espoir d'une «neutralité bienveillante» de la part du patron de la DGSI, Patrick Calvar, dont le père était gendarme... Pour emporter le morceau, les pandores n'ont pas manqué de raviver auprès du politique un souvenir traumatisant. Ces tonnes de paille et de fumier déversées au petit matin devant l'Élysée, le 17 décembre 2009, par

---

1. Entretien du 26 avril 2014.
2. Entretien du 1er juillet 2016.
3. Voir le glossaire, page 243.

un commando d'agriculteurs venus de la Beauce et de la Marne. Étrangement, pas un flic n'avait vu le coup venir. Les gendarmes l'assurent : avec leur SDAO, cette scène, inconcevable du temps des RG, ne se reproduira plus. Une fois posées les fondations de cette SDAO, les gendarmes tentent de consolider leur position. Le 17 avril 2014, une «Note provisoire de doctrine pour le traitement du renseignement en gendarmerie», émanant de la Direction des opérations et de l'emploi, stipule que «la gendarmerie traite le renseignement dans sa zone de compétence» et «garantit une information exhaustive des autorités politiques, administratives et militaires». Les services de police chargés du renseignement intérieur ou territorial, précise la même note, sont cantonnés au rôle de simples «partenaïres». Signé de Bernard Soubelet, le document interne insiste sur le fait que «les plus hautes autorités du ministère de l'Intérieur reconnaissent et apprécient l'apport indispensable de la gendarmerie à la mission de renseignement». Lorsque ces sept pages tombent entre les mains des syndicats policiers, ils voient rouge. Un mois plus tôt, ils avaient obtenu que la Place Beauvau confie au seul Service central de renseignement territorial, piloté par les policiers, la mission de centraliser et transmettre l'intégralité des informations recueillies sur tout le territoire... Pour calmer les poulets, le ministre de l'Intérieur impose à Denis Favier de signer avec le DGPN une note conjointe qui rabote un peu l'ambition des pandores en matière de renseignement. Aux yeux des policiers, les gendarmes ont failli réussir «le casse du siècle». Avec dans le rôle du monte-en-l'air le patron de la Direction des opérations et de l'emploi, le général Soubelet.

«Très habilement, Favier lui a fait endosser la responsabilité de la fameuse "Note de service provisoire", analyse un galonné[1]. Comme souvent, Soubelet a joué le rôle de fusible au cas où ça tournerait mal...»

Très bien renseignés

«Ils ont aussi essaimé chez nous, se lamente un cadre du Service central du renseignement territorial[2]. Valls nous a imposé la présence de cent cinquante gendarmes. Pour occuper les postes de chefs de service, ils nous ont envoyé la piste aux étoiles : que du colonel ou du chef d'escadrons mobiles qui prennent naturellement le dessus sur les simples flics. Ils ont même réussi à placer un des leurs, numéro deux !» Lequel est... fils de policier. Chez les pandores, rien n'est laissé au hasard.

«Ils débauchent chez nous en faisant miroiter les 600 à 700 euros de plus que les gars vont gagner en moyenne, sans compter la concession logement, poursuit notre interlocuteur. Dans les réunions interservices, on fait tourner un papier où chacun note son nom et son e-mail, les gendarmes repèrent les profils qui les intéressent et ils vont ensuite au contact et font leur marché parmi nos meilleurs éléments.»

Un entrisme dans le petit monde du rens' préparé de longue date. Lorsque sur les cendres des RG, Sarkozy avait initié une première mouture du renseignement territorial, la gendarmerie y avait placé quelques officiers.

---

1. Entretien du 17 avril 2014.
2. Entretien du 17 avril 2014.

Les flics les soupçonnaient de venir se former pour pouvoir remonter ensuite leur propre service. «Les gendarmes ne sont pas loyaux, ils pensent d'abord à leur boutique, renchérit une directrice de service qui a souvent ferraillé avec ses homologues à képis. Ils ne sont pas francs du collier. Ils s'incrustent dans les structures policières qui leur sont ouvertes et doublonnent en créant à côté leurs propres structures avec tambours et trompettes.» Un adage court dans les couloirs de la Place Beauvau : «Quand vous donnez un ordre, le policier dit non, et il le fait, le gendarme dit oui, et il ne fait rien.»

Tel qu'il a été conçu, la SDAO fonctionne un peu comme le Palais des rêves. Dans le roman d'Ismail Kadaré, une administration collecte jusque dans les contrées les plus reculées les songes des habitants, puis les rassemble en un même endroit afin de les classer, les interpréter et pouvoir ainsi isoler les «maîtres rêves» dans lesquels le destin du pays et de son souverain est écrit. Cette fois ce ne sont pas des rêves, mais des informations sensibles à résonnance politique, économique ou médiatique, qui remontent jusqu'au bureau du directeur général de la gendarmerie. Rien d'important ne peut échapper au souverain Favier. Pour identifier l'affaire dont il faut «rendre compte», chaque gendarme dispose d'une grille de critères : s'agit-il d'une personnalité politique de niveau départemental, régional, national, de sa famille, d'une entreprise importante ? Le nom d'un people apparaît-il ? Etc. Grâce à la SDAO et aux brigades territoriales disséminées un peu partout, le DGGN est l'un des hommes les mieux renseignés de France. Désormais, la gendarmerie produit huit «Notes ministre» par jour, autant que la police. L'assurance pour son chef de se rendre indispensable aux yeux du locataire de la Place Beauvau ou... de Matignon.

Il arrive même que la Sous-direction de l'anticipation opérationnelle récupère des informations de la maison d'en face. À l'été 2014, Denis Favier est en réunion dans son bureau, lorsque son portable sonne. Au bout du fil, le chef de la SDAO le prévient que Sarkozy est convoqué le lendemain au siège de la PJ de Nanterre et qu'il va être placé en garde à vue.

«Favier a toujours eu un coup d'avance pour nous contrer», constate avec amertume un commissaire à la PJ de Nanterre[1].

Une concurrence multiple

Cette incontestable réussite ne concerne pas que le renseignement. Les pandores ont réussi à transformer en carrosse la citrouille que les poulets leur avaient laissée. Grâce à l'Office chargé de la délinquance itinérante qui n'intéressait pas les policiers, les gendarmes ont pu s'aventurer sur le terrain de prédilection de la PJ : la criminalité organisée. «La gendarmerie a vite compris que derrière les vols de pots catalytiques, de moteurs de bateaux, de tracteurs, ou les cambriolages des maisons de campagne, il y avait des réseaux mafieux structurés. La PJ ne s'en occupait pas : pas assez digne pour elle. Et les commissariats locaux ne s'en souciaient pas», râle notre commissaire. En partant de simples cambriolages, les gendarmes ont pu notamment taper les

---

1. Entretien du 28 avril 2016.

Vory v Zakone, l'élite de la mafia russe et additionner les coups de filet spectaculaires, avec chaque fois des dizaines d'affaires résolues. Sur certains dossiers judiciaires médiatiques, ils ont aussi été aidés par les «petits pois». Ces magistrats brocardés par Sarkozy qui, par crainte d'une police noyautée, préféraient leur confier les enquêtes.

Cependant, à vouloir trop en faire, il arrive que les gendarmes se prennent les pieds dans le tapis. En septembre 2012, une famille britannique et un randonneur à vélo sont exécutés avec un pistolet automatique sur une route forestière de Haute-Savoie. Saisie de l'enquête, la gendarmerie met le paquet. L'affaire Chevaline devient même une obsession pour Denis Favier. Le général voit dans l'opportunité de résoudre une affaire complexe et médiatique l'occasion de pouvoir enfin effacer le fiasco de l'affaire Grégory, le meurtre mystérieux d'un enfant dans les Vosges irrésolu depuis 1984. Jusqu'à soixante-douze enquêteurs sont mobilisés vingt-quatre heures sur vingt-quatre. Après dix-huit mois d'enquête sans relâche, les gendarmes croient enfin tenir l'assassin. Un habitant du coin, ancien policier municipal et collectionneur d'armes, est placé en garde à vue, son nom et sa photo publiés dans la presse. Favier lui-même se charge de communiquer la bonne nouvelle auprès de certains journalistes. Il a parlé trop tôt : au fil des auditions du suspect, la piste s'effondre. Quatre mois après son arrestation, ce père de famille qui entre-temps a perdu son travail se suicide. Après avoir exploré de nombreuses autres pistes, les gendarmes n'en ont, quatre ans plus tard, ni retenu ni écarté aucune...

Les rivaux policiers ne tardent pas à parler du «ratage de Chevaline». Une occasion pour expliquer aux magistrats et aux élus que les gendarmes ne sont vraiment pas faits pour mener à bien de grandes enquêtes criminelles... Sur le terrain, entre les gendarmes officiers de police judiciaire et leurs homologues flics, c'est parfois Fort Alamo. Démonstration avec cette histoire corse racontée par un commandant de police : «Lorsque la PJ fait venir en Corse ses chiens spécialisés dans la recherche de stupéfiants, elle demande à pouvoir utiliser le chenil de la caserne d'une gendarmerie. Les gendarmes acceptent, mais ils ont mis des compteurs pour facturer la consommation d'eau. Du coup les maîtres-chiens viennent à la caserne et apportent avec eux leurs propres jerricanes d'eau ! Dire que nous sommes censés faire partie du même ministère !» Ambiance...

Et ce n'est pas tout. Si les flics se font avoir comme des bleus en matière de renseignement et de police judiciaire, ils interdisent à leurs rivaux de trop s'approcher de leur Graal : l'antiterrorisme. C'est sans compter sur l'habileté et la détermination du général Favier.

En 2003, première alerte. Les policiers tentent de tuer dans l'œuf le Bureau de la lutte antiterroriste que les gendarmes avaient mis sur pied. Le BLAT est méchamment rebaptisé «blatte». Denis Favier comprend que sur pareil terrain miné, sa proximité avec Valls ne suffirait pas. Il choisit d'avancer à couvert. «Dès qu'on lâche le mot "terro", on est dessaisis. Alors on reste camouflés le plus longtemps possible sous du droit commun», explique ainsi un pandore en poste dans une section de recherche[1]. Lorsque le 14 juillet 2015 le site pétrochimique de Berre-l'Étang est secoué par deux explosions, les gendarmes, saisis par le parquet d'Aix-en-Provence se gardent bien de prononcer le mot « terrorisme », évoquant seulement une « piste criminelle ». Onze mois plus tard, ils arrêtent un Franco-Tunisien de trente-quatre ans, radicalisé, qui avoue non seulement avoir plastiqué les cuves de Berre-l'Étang, mais aussi un atelier de charcuteries-salaisons dans le Rhône. Cette fois, les gendarmes tiennent « leur » belle affaire de terro. Favier peut sortir du bois, en triomphant. Mais le jour où le DGGN veut communiquer, tombe le Brexit. Les médias n'ont alors qu'une chose en tête : la sortie du Royaume-Uni de l'Union européenne.

Pour investir l'antiterrorisme, les « cruchots » sortent une autre carte de leur képi. À peine a-t-il pris les rênes de la gendarmerie que le général Favier crée la prévôté. Grâce à cette police judiciaire dévolue aux forces armées déployées à l'étranger, les pandores sont habilités à enquêter sur les attentats commis dans toutes les zones où opèrent des militaires français. C'est ainsi qu'ils ont récupéré les dossiers du double attentat commis à Gao au Mali, en mai 2016, et celui du crash suspect en juillet 2014 d'un avion d'Air Algérie au Sahel. Qui plus est, Favier a choisi pour mettre sur pied la prévôté le colonel Olivier Kim, la bête noire des policiers antiterroristes, puisqu'il a été chargé dix ans plus tôt de monter le fameux BLAT...

---

1. Entretien du 26 avril 2014.

L'élite devenue cible

Non seulement la gendarmerie est persona non grata sur les enquêtes touchant au terrorisme, mais il s'en est fallu de peu, sous Sarkozy, pour qu'on lui retire le GIGN, son unité d'élite. Depuis la prise d'otages de Neuilly, l'ancien Président n'avait d'yeux que pour le RAID, la force d'intervention de la police nationale, au point d'y avoir même envoyé en stage son propre chien. Son bras droit et successeur à Beauvau, Claude Guéant, a même attendu les tout derniers mois de son séjour à l'Intérieur pour rendre visite aux hommes du Groupement d'intervention de la gendarmerie nationale dans leur QG de Satory. Et encore, pour une visite éclair de cinquante-cinq minutes montre en main, sans même signer le livre d'or, au motif qu'il était trop pressé. Une visite qui avait accablé les pandores. Tout l'inverse d'un Manuel Valls, qui, lui, viendra un mois à peine après son arrivée à l'Intérieur, et restera trois heures « sur zone » au lieu des deux prévues initialement.

Une attention ministérielle qui s'explique : le « GI », c'est la chose de Favier. C'est là qu'il a conquis ses premiers galons, bâti les fondations de sa carrière. Valls le sait parfaitement. C'est le jeune capitaine Favier qui, sur l'aéroport de Marignane en décembre 1994, a conduit avec succès l'assaut contre les preneurs d'otages d'un Airbus d'Air France. Pourtant, trois ans plus tôt, lorsque l'officier arrive à Satory pour prendre la tête de l'unité, l'accueil est rude. Un bureau quasiment vide l'y attend. Seul mobilier : une modeste table d'écolier et une chaise. Les sous-off lui imposent un entraînement d'enfer : il perd cinq kilos. Lors de la remise de son brevet, une partie de la troupe lui tourne carrément le dos. Il tient le choc, mais l'épreuve le marquera. «Il est devenu un chef de meute. Si vous avez sa confiance, c'est à vie. Sinon... Il a une incroyable mémoire et ne laisse rien passer, explique un vétéran du GI[1]. Il contrôle toutes les nominations. Il a d'ailleurs mis un homme à lui à la tête du BPO[2], le bureau qui fait et défait les carrières d'officiers.» Denis Favier qui rêvait d'être pilote de chasse aura, dans le cockpit de la gendarmerie, trouvé comme il le dit lui-même «un avion de combat qui répond bien».

En août 2007, alors que Nicolas Sarkozy vient d'être élu et que ses flics préférés font état de leur intention de faire un sort au GIGN, Favier revient au GI pour en faire une unité XXL. Forte de quatre cents hommes et femmes, cette force d'élite unique en Europe devient intouchable. Le général sait que le GIGN participe de son propre mythe. Il ajoute une pièce dans la machine en se faisant «tarponner», parachuter en pleine mer, lors de la prise d'otages par des pirates somaliens du *Ponant* en avril 2008. Six ans plus tard, lors de la traque des terroristes de *Charlie Hebdo*, celui qui est alors numéro un de la gendarmerie ne résiste pas à la tentation d'aller sur place à Dammartin-en-Goële, afin de piloter lui-même l'assaut contre les frères Kouachi barricadés dans l'imprimerie. Un affichage qui énerve au plus haut point Nicolas Sarkozy. «Pourquoi Favier est-il allé aider ce gros mou de Hollande sur la prise d'otages?» s'emporte

---

1. Entretien du 25 juin 2016.
2. Bureau préparation opérationnelle.

même l'ex-chef d'État devant des proches. Ce jour-là, pour Sarkozy et les siens, le général est devenu définitivement l'homme à abattre.

C'est tout com'!

«C'est à Marignane que Favier a compris l'importance de la communication, explique un de ses anciens collègues[1]. Le GIGN a toujours servi de vitrine pour la gendarmerie mais il l'a utilisé comme personne avant lui.» Une anecdote en dit long : lors du dernier championnat d'Europe de football organisé en France à l'été 2016, la protection des équipes est tirée au sort entre le GIGN et le RAID. Le Portugal tombe dans l'escarcelle des gendarmes d'élite. Une bonne pioche, puisque la sélection conduite par Cristiano Ronaldo l'emporte. Sur le trophée que brandit, à l'issue de la finale au Stade de France, le capitaine de la Seleção das Quinas, des petits malins ont collé un sticker. Un «crime» signé Furax : l'autocollant est celui du GIGN ! Joli coup de pub...

Cette obsession constante du faire savoir, on la retrouve également chez Favier dans l'attention toute particulière qu'il porte au Sirpa, le Service d'information et de relations publiques des armées. Les bureaux de cette redoutable machine sont installés à Issy-les-Moulineaux, au siège de la Direction générale de la gendarmerie, à deux pas de ceux du grand patron. Sous l'impulsion de Favier, le Sirpa investit puissamment les réseaux sociaux, abreuve la presse de communiqués

---

1. Entretien du 19 février 2015.

ciselés à la gloire de la troupe. Objectif affiché et réussi : dépoussiérer l'image des cruchots. Et forcément, faire dire du bien de leur chef. Ce n'est pas pour rien que Favier y a placé des hommes sûrs. Encore une fois, la police est doublée. Elle qui préfère laisser à des représentants syndicaux le soin d'investir les plateaux de chaînes d'information en continu sans qu'ils aient toujours quelque chose à raconter...

La com', ce ne sont pas seulement les médias. On ne compte plus les politiques, les parlementaires ou les industriels invités à des démonstrations de force de la gendarmerie. Voire, pour les plus choyés comme Nathalie Kosciusko-Morizet, à des séances de tir. Pour les quarante ans du GI, en octobre 2013, Favier met les petits plats dans les grands. Avec, en clou du spectacle, l'intervention d'un commando héliporté pour libérer une trentaine d'otages – des figurants retenus dans un bâtiment bunkérisé, suivi de l'exfiltration par les airs d'une personnalité dont le convoi est tombé dans une embuscade. Une vraie superproduction ! De quoi méduser Bernard Cazeneuve et tout l'aréopage des directeurs de la police cantonnés au rôle de spectateurs.

La gloire des cruchots

Favier se sert également de son joujou préféré sur un autre front : la guerre économique. Ainsi, en 2010, alors qu'il vient d'arriver à la tête de l'unité, les émiratis, en pleine négociation pour l'achat de soixante Rafale, exigent un partenariat avec le GIGN sur la piraterie aérienne – à la grande satisfaction du DGGN d'alors, le général Mignaux, qui se met en quatre pour aider Sarkozy à vendre ses avions de combat. Plus tard, devenu patron des gendarmes, Favier est reçu en grande pompe par le Premier ministre et le ministre de l'Intérieur qataris pour discuter « coopération stratégique ». Ce partenariat avec Doha, fortement encouragé par Manuel Valls, a d'autant plus la cote dans l'émirat, que Hollande a misé, lui, sur l'Arabie saoudite avec l'aide des réseaux chiraquiens. C'est aussi dans le sillage de Valls que Favier se rend à Pékin au printemps 2015, pour nouer un accord stratégique entre la gendarmerie et l'Armée populaire chinoise ! Peu de temps après, Manuel Valls reçoit à Matignon son homologue chinois, avec lequel il signe quinze accords commerciaux, dont un sur la vente de soixante-quinze Airbus A330. Pour fêter ces emplettes, les deux Premiers ministres se rendent ensemble à Toulouse au siège d'Airbus Industries. Évidemment, Favier est du voyage...

Grâce au lien entre Valls et Favier, jamais la gendarmerie n'aura été aussi puissante. Pour connaître pareil âge d'or, il faut remonter à Charles Hernu, au début des années 1980. Fils de gendarme, le premier ministre de la Défense de Mitterrand était un inconditionnel des pandores. Mais Favier a réussi un tour de force : le 30 août 2016, il fait ses adieux aux armes. Cet après-midi-là, dans la cour des Invalides, pour la dernière fois, le général passe en revue les troupes. Lui emboîtent le pas le Premier ministre, le garde des Sceaux, les ministres de l'Intérieur et de la Défense ainsi que le deuxième personnage de l'État, dans l'ordre protocolaire, le président du Sénat. De mémoire de gendarme, jamais un tel hommage n'avait été rendu à un des leurs par la République. Au moment de remettre le drapeau à son successeur, Denis Favier, cinquante-sept ans, pense-t-il au chemin parcouru en trente-trois ans de carrière militaire, à son père sous-officier d'infanterie, et à son fils, élève officier gendarme qui reprend le flambeau ?

Preuve qu'elle est au firmament, l'institution a dicté au pouvoir exécutif le nom de son nouveau patron et successeur de Favier. Ce sera le général Richard Lizurey. Ce saint-cyrien, «un ami de quarante ans» du général Favier qui l'a «adoubé», est la garantie qu'en cas de retour de la droite au pouvoir, la gendarmerie ne sera pas à nouveau maltraitée. Celui qui fut conseiller à Beauvau de Brice Hortefeux, puis de Claude Guéant, a gardé de solides amitiés chez les Républicains. Mais il est apprécié par la gauche où l'on n'a pas oublié son soutien public à Jean-Pierre Havrin, l'initiateur de la police de proximité sous Chevènement. En 2003, Havrin est démis de ses fonctions par le ministre de l'Intérieur, Nicolas Sarkozy, au motif qu'il gaspille son temps à faire de la prévention de la délinquance par le sport. «Mon attitude a surpris Michel Gaudin qui dirigeait la police, mais c'est une question de conviction. Lorsque j'étais à la tête du groupement de Haute-Garonne, j'avais vu Havrin à l'œuvre lors de violents incidents dans des cités toulousaines, c'est un homme compétent et courageux», explique le cinq étoiles[1], sourire aux lèvres quand on l'interroge sur l'épisode.

«La gendarmerie était mal partie quand je suis arrivé à sa tête, ça reste fragile mais on a posé des socles. Il

---

1. Entretien du 20 octobre 2016.

faut que la montée en puissance continue et je laisse derrière moi un successeur qui sera indéboulonnable. Avec Lizurey, j'assure la pérennité», nous avait confié Denis Favier avant le passage de relais.

Obsédés par la préservation de leurs armes et soucieux d'avoir toujours un coup d'avance, les gendarmes ont déjà prévu le coup d'après, dans l'hypothèse où la gauche l'emporterait en... 2022. Ce sera le tour du général Christian Rodriguez. Huit mois avant l'échéance électorale de 2017, le conseiller de Cazeneuve à l'Intérieur est devenu numéro deux des gendarmes. Les pandores ont retenu la leçon : la force de la police, c'est sa proximité avec le politique. La gendarmerie aura donc placé auprès des quatre derniers ministres de l'Intérieur ses futurs patrons. Même si, comme le confie, lucide, le successeur de Favier, «les choses se font mais lentement. Pour le renseignement, par exemple, il faut encore passer du besoin d'en connaître au devoir de partager.»

Dans les jardins du gouverneur de Paris où se tient la garden-party qui clôture la cérémonie du départ de Favier, des gendarmes de tous grades défilent pour se faire prendre en photo avec leur ancien taulier. L'ego regonflé à bloc par les paroles du Premier ministre déclamées devant tous dans la cour d'honneur des Invalides : «La République a ses grands serviteurs, ses grands militaires, ses héros... Mon général, vous êtes les trois à la fois!» Valls a ajouté ce que tous voulaient entendre : la gendarmerie est «au coude à coude avec la police nationale pour faire face aux menaces».

François Hollande aura appris le départ soudain du général pour rejoindre la direction de la sécurité du

groupe Total seulement trois jours avant l'annonce officielle. Manuel Valls était, lui, dans la confidence depuis
plusieurs mois... «Time On Target», comme on dit au
GIGN. «Arriver sur l'objectif à l'heure prévue», c'est
ce qu'a fait Denis Favier en s'exfiltrant au bon moment.

Le tandem Valls-Favier aura atteint son objectif. En
moins de cinq ans, Valls a réussi à contrer la prégnance
de la police sur les affaires judiciaires; Favier a redonné
à la gendarmerie le lustre et le pouvoir qu'elle avait du
temps de Mitterrand.

5

Les carottes sont cuites !

Quand l'huissier lui a demandé ce qu'il voulait boire, Jo a spontanément répondu : «Une coupe de champagne.» Assis en face, son hôte s'est contenté d'un verre d'eau.

— J'ai toujours tutoyé tes prédécesseurs, on va continuer, a embrayé Joaquin Masanet.

— Non ! a coupé d'un ton glacial le ministre de l'Intérieur.

À peine son interlocuteur reconduit, Bernard Cazeneuve a lancé aux membres de son cabinet : «Je ne veux plus jamais le voir !» Le premier flic de France ne recroisera plus à Beauvau celui que dans la police certains surnomment «Jo l'embrouille».

Au début de février 2014, cinq mois après avoir contrarié le ministre de l'Intérieur, Jo Masanet, figure haute en couleur du syndicalisme policier, est arrêté par l'IGPN, la police des polices. Les «bœuf-carottes», baptisés ainsi pour leur propension à cuisiner longtemps, à petit feu, leurs «clients», le soupçonnent d'avoir détourné de l'argent de l'Anas[1] qu'il préside.

_____

1. Association nationale d'action sociale, chargée des œuvres sociales de la police.

En réalité, ils mettent ce jour-là un sacré coup de rangers dans le poulailler. C'est toute la police à la papa, ses réseaux, ses codes et ses coteries qui vacillent. Véritable instrument au service du pouvoir, l'IGPN dirigée par Marie-France Monéger va, au gré de ses enquêtes, non seulement servir à virer les brebis galeuses mais aussi aboutir à mettre hors d'état de nuire les gêneurs. Plus que jamais, sous la gauche, la police des polices est devenue une police politique.

Jo Masanet cumule les handicaps. Ancien syndicaliste, homme de gauche, ce sexagénaire fort en gueule se vante de faire ou défaire les ministres de l'Intérieur. C'est son numéro que les flics – petits et grands – se refilent sous le manteau : Jo l'embrouille connaît tout et tous. Besoin d'une nomination, d'une promo, d'un PV qui saute pour le fiston ou d'une naturalisation pour le copain de la fille ? Une seule adresse, va voir Jo ! Au fil des années, Masanet a acquis sa réputation de directeur général de la police bis. Il l'a aussi entretenue à coups de légendes, comme celle qui fait de lui une éminence du Grand Orient de France. Faux, archifaux. Seul Francis, son frère, policier également, a été... « frangin ». Et encore : deux petites années avant de partir.

Si les bœuf-carottes s'intéressent à Jo et à son business, c'est qu'il apparaît sur écoute en train d'activer de multiples contacts dans la maison poulaga. Il cherche à se renseigner sur une enquête en cours au 36, quai des Orfèvres, la PJ parisienne. En l'occurrence, celle qui concerne Christian Prouteau, le fondateur du GIGN. L'ex-supergendarme de Mitterrand, notamment chargé de la protection de Mazarine, la fille cachée de l'ex-Président, apparaît avec celui que les médias ont baptisé «l'escroc des stars», Christophe Rocancourt, dans un dossier de corruption. En s'intéressant à Jo et en plongeant dans les comptes de l'Anas, la police des polices va faire remonter à la surface une drôle de tambouille financière.

Lorsque le 19 décembre 2014, Bernard Cazeneuve, malgré le souhait qu'il avait formulé, se rend aux vœux de l'association, il sait pertinemment que Jo est dans la seringue. C'est donc avec un sourire renseigné qu'il écoute le discours tonitruant de Masanet. Le ministre de l'Intérieur en oublierait même la petite humiliation qu'il vient de subir quelques heures plus tôt. Le Premier ministre Manuel Valls l'a appelé pour lui intimer l'ordre d'écourter son voyage en Algérie afin d'être présent ce soir-là au musée des Arts forains à Paris. Un ordre qui doit beaucoup à Jo. Celui-ci s'est plaint directement à Matignon en découvrant que Cazeneuve avait décidé de se faire porter pâle à sa petite fête.

Avant de s'embrouiller avec Cazeneuve, Jo avait toujours su faire avec les locataires de la Place Beauvau. Il s'était ainsi collé au réseau du ministre de l'Intérieur socialiste Pierre Joxe, dont le chef de cabinet se nommait François Rebsamen et l'un des conseillers était un certain officier CRS sorti du rang, Patrice Bergougnoux, devenu plus tard directeur de cabinet de Chevènement, puis patron de la police. La seule fois où Joaquin Masanet s'emportera contre Joxe, c'est lorsque celui-ci interdira l'alcool dans les commissariats. Les CRS se vengeront en baptisant le Ricard, leur apéritif préféré, «petit Joxe». En 2007, le très puissant syndicat Unsa Police, que le camarade Jo dirige alors, prête ses gros bras pour sécuriser les meetings de la candidate Ségolène

Royal, ce qui lui attire à l'époque le sobriquet de « poulet royal ». Masanet s'imagine alors conseiller à l'Élysée, avec Rebsamen à Beauvau, et Bergougnoux préfet de police de Paris...

Valls, victime collatérale

Suite à la descente de l'IGPN au siège de l'Anas, à Joinville-le-Pont, certaines huiles de la police se font du mouron. Nombre d'entre elles se sont fait rincer au restaurant de l'association. « Quand on allait voir Jo pour déjeuner, on posait son après-midi et on savait qu'on aurait la gueule de bois le lendemain, confie un habitué des lieux[1]. Certains directeurs départementaux de la sécurité publique regagnaient en zigzaguant leur voiture avec chauffeur... » Mais surtout, en fouillant le bureau de Jo, au dernier étage de cette imposante demeure bourgeoise du bord de Marne, les « bœuf » ont trouvé de quoi « faire manger » un certain nombre de patrons. En plus des documents comptables, ils ont mis la main sur trois agendas où Jo notait scrupuleusement tous ses rendez-vous, et sur des centaines de photocopies de PV qu'il a fait sauter pour des « amis », en sollicitant ses contacts dans la hiérarchie policière.

« Quand la nouvelle de la chute de Jo est tombée, beaucoup de policiers se sont mis à vérifier les SMS qu'ils avaient échangés avec lui, sachant que l'IGPN l'avait sur écoute depuis un certain temps », s'amuse un cadre de la préfecture de police[2]. Plus encore, en enclen-

---

1. Entretien du 5 février 2015.
2. Entretien du 26 février 2015.

chant l'«affaire Jo», les bœuf-carottes vont neutraliser trois soldats de Valls.

Première victime et non des moindres, Bernard Petit, le patron du 36. Lorsque, le mercredi 4 février 2015, l'IGPN perquisitionne son bureau, Manuel Valls perd sa pièce maîtresse sur l'échiquier police. Bernard Cazeneuve exécute Bernard Petit publiquement, sans états d'âme, au sortir d'un Conseil des ministres, dans la cour de l'Élysée. Bernard Petit est en garde à vue depuis moins de vingt-quatre heures et donc présumé innocent. Mais pour le locataire de Beauvau, il est déjà coupable. Comme si cette exécution médiatique ne suffisait pas, l'ex-patron du 36 est également flingué administrativement. Lorsqu'il sort de sa garde à vue, en pleine nuit, deux hauts fonctionnaires de l'administration de l'Intérieur l'attendent dans le parking de l'IGPN. À bord de leur véhicule, ils le conduisent dans les locaux de la direction des ressources humaines du ministère. Et là, ils annoncent au quinquagénaire qu'il est non seulement viré de la police mais aussi rétrogradé dans ses fonctions. Et ne peut ainsi prétendre aux indemnités de commissaire divisionnaire retraité.

Outre Petit, cette enquête autour du commerce de Jo l'embrouille égratigne deux autres soldats de Valls. Deux préfets : celui de la préfecture de police, Bernard Boucault, ancien directeur de cabinet de Vaillant à l'Intérieur et celui du Val-de-Marne, Thierry Leleu, un ami de Yves Colmou, le conseiller spécial de Valls. À ce moment-là, tous deux sont soupçonnés sans preuves d'avoir obtenu des facilités pour Jo Masanet. Des papiers ici, un PV qui saute là. Inconnus du grand public, leurs noms apparaissent pourtant dans la presse sitôt le déclenchement de l'enquête. Ils seront cuisinés par les bœuf-carottes avant d'être mis hors de cause. Mais non sans avoir provoqué quelques frictions entre Matignon et l'Intérieur.

Deux ans après le déclenchement de l'enquête, si son volet Anas a bien prospéré – Joaquin Masanet a été mis en examen pour abus de confiance –, la mise en cause de Bernard Petit n'apparaît pas comme évidente. Au cours de deux confrontations, au printemps 2015, son principal accusateur – l'adjoint de Jo – s'est même en partie rétracté. Ce 17 juillet 2016, l'ex-patron du 36 sirote un Coca light dans une brasserie à quelques pas de l'Arc de triomphe mais surtout de la bouche du RER qu'il emprunte pour rejoindre son modeste pavillon de banlieue. L'ancien grand flic a troqué ses élégants costumes contre un jean et un polo. Encore sonné par la violence du coup porté, il assure avoir désormais «tourné la page». Dans l'incapacité de retrouver un boulot – «tant que je ne suis pas jugé, c'est difficile...» –, il se consacre à la sculpture et à la peinture, deux anciennes passions. Et puis il continue de chasser. Mais désormais uniquement du gibier à quatre pattes. Depuis qu'il a été obligé de rendre sa plaque et son flingue, Petit continue «de voir des copains» de la police. Assez peu, assure-t-il. Chez les hommes politiques, seul Manuel Valls lui a fait signe. Une fois par l'entremise de Jean-Marie Le Guen qui l'a invité à déjeuner au ministère des Relations avec le Parlement, à deux pas de Matignon. Une autre fois directement par un coup de fil. «C'était chaleureux. Cela m'a fait plaisir», confie le poulet.

Aussi accablé que défaitiste sur son sort judiciaire, Petit s'étonne tout de même qu'après des mois d'investigations zélées de la part de la police des polices, tout ce qui surnage dans le dossier le concernant «est d'avoir reçu Philippe Lemaître», auquel il aurait tiré des informations relevant du secret de l'instruction. «Je veux bien que ce soit une faute professionnelle d'avoir rencontré ce simple agent administratif que je croise de loin en loin depuis plus de vingt ans, mais ça n'a rien de pénal. Je ne lui ai rien dit sur rien. Et surtout pas sur l'enquête autour de Prouteau, dont je n'avais que faire. J'ai l'impression d'être tombé dans un piège.»

Il est vrai que le dossier «Jo» recèle quelques bizarreries. La gestion des écoutes par l'IGPN laisse ainsi pantois. Le 3 octobre 2014, les bœuf-carottes retranscrivent une conversation entre Prouteau et Lemaître, l'ancien gendarme a appris qu'il était convoqué le 17 par la PJ, il téléphone à Lemaître qui semble tomber des nues : «Oh là là...», et lui demande si c'est la PJ de Nanterre ou le 36, ce que Prouteau ignore tout comme il indique ne pas connaître le nom de l'officier de police judiciaire. Lemaître propose donc d'aller à la pêche aux infos et de rappeler. L'enquêteur de l'IGPN note en marge que Lemaître ne demande pas à Prouteau pourquoi il est convoqué, ce qui sous-entend qu'il le sait déjà. Lemaître aurait été informé par Petit. Sauf que quinze minutes plus tard, Lemaître appelle son ami pour le questionner :

— Tu sais pourquoi tu es convoqué ?

— Non.

— Tu leur as demandé au moins ?

— Non.

Cette conversation est curieusement dissociée de la première avec son commentaire, égarée dans le dossier d'instruction cinq cents cotes plus loin. Comme si on voulait que le magistrat passe à côté. D'ailleurs, lorsqu'il interroge Prouteau, le juge lui ressort l'interception téléphonique, pour lui dire en substance : « Vous ne demandez pas pourquoi vous êtes convoqué, manifestement vous le savez déjà... » Dès lors, les regards se tournent forcément vers Bernard Petit, qui, d'après l'enquête de l'IGPN, aurait échangé en moins de deux ans cinq cents SMS avec Philippe Lemaître, preuve que les deux hommes étaient en contact de façon régulière et soutenue. En fait, il s'agit d'une newsletter électronique concoctée par Lemaître dont le patron du 36 était destinataire et à laquelle il n'a répondu qu'une seule fois par un lapidaire « Merci ».

Dans l'esprit de Bernard Petit, revient en boucle une « sale intuition » : quelqu'un, quelque part, a cherché à lui faire payer au prix fort son entêtement sur des affaires sensibles, à commencer par cette enquête sur le parrain corse Michel Tomi[1]. Si à l'Élysée on avait voulu abattre un homme de Valls, le viser aurait été d'autant plus facile que les réseaux sarkozystes entremêlés à ceux de Péchenard étaient favorables à sa perte.

Une machine de guerre

Ce 17 juillet 2016, alors que Petit sirote son soda, le hasard veut qu'un des pontes de l'IGPN soit, quelques tables plus loin, en grande conversation avec des amis policiers. C'est ce commissaire divisionnaire, chef du

---

1. Lire le chapitre « Opération Minotaure », p. 147.

cabinet de discipline, qui a chapeauté toute l'enquête visant Petit. Patrice Demoly a le profil parfait pour alimenter les scénarios complotistes. Avant d'arriver chez les bœuf-carottes, en septembre 2013, il a fait ses armes à la brigade financière, du temps de Jacques Chirac. C'est notamment lui qui a permis de faire éclore l'Angolagate. Une affaire de vente d'armes où seront inquiétés notamment Charles Pasqua et l'un des fils de François Mitterrand, Jean-Christophe. Et qui aura contribué à la réélection de Jacques Chirac en 2002. Une enquête menée main dans la main avec celui qui deviendra un ami, Philippe Courroye. Le magistrat avait déjà rendu un fieffé service à l'ex-maire de Paris en faisant tomber Michel Noir et Alain Carignon, deux jeunes loups du RPR dont l'ambition faisait de l'ombre au chef. Autant d'affaires nourries dans l'ombre par le très chiraquien et ancien patron des RG, Yves Bertrand, à en croire ses carnets secrets.

L'IGPN a longtemps traîné la réputation d'être le bras armé du pouvoir pour couper des têtes dans la police. À Beauvau, Nicolas Sarkozy s'empresse d'y nommer un fidèle, qui sera lui-même remplacé par un homme encore plus dévoué : Dominique Boyajean. Cet ancien directeur de cabinet de Michel Gaudin, directeur général de la police, chemine depuis une vingtaine d'années aux côtés de Sarkozy. Les deux hommes se sont connus à Neuilly-sur-Seine : l'un était maire, l'autre numéro un du commissariat de la ville.

Quand la gauche reprend l'Élysée, Boyajean monte dans la charrette. À sa place, Manuel Valls installe Marie-France Monéger. Elle n'est pas spécialement de gauche, mais c'est une femme. Une première à ce poste.

Et c'est une bosseuse doublée d'une ambitieuse. Bref, elle a tout pour plaire au nouveau premier flic de France. Il lui confie comme première mission de «liquider» l'Inspection générale des services (IGS), les «bœuf» de la préfecture de police. Les socialistes sont en effet persuadés que cette officine de l'île de la Cité, sous Sarkozy, a monté des dossiers contre plusieurs fonctionnaires proches de Daniel Vaillant, l'ex-ministre de l'Intérieur de Jospin. Cette même IGS avait été utilisée pour faire les fadettes d'un journaliste du *Monde* enquêtant sur l'affaire Bettencourt qui empoisonnait la Sarkozie.

En nommant à la tête de l'IGPN Monéger, une fille de militaire qui a grandi en Allemagne et en Alsace et rêvait de devenir juge pour enfants, Valls pense tenir d'une main de fer cette structure. Elle va pourtant se retourner contre certains de ses hommes dans la galaxie policière. Zélée, la nouvelle patronne de l'IGPN se met au service du successeur de Valls à Beauvau : lorsque Cazeneuve lui demande d'«aller jusqu'au bout» concernant Bernard Petit, elle exécute la besogne. Si MFM ne fréquente pas les stands de tir, parce qu'elle déteste les armes, elle n'a pas pour autant la main qui tremble. «C'est vrai que je suis rude dans les relations humaines. Mais vous savez, le plus difficile à atteindre, c'est de rester femme en s'imposant dans un monde d'hommes», confie celle[1] que ses subalternes surnomment parfois «Maman».

Quoi qu'il en soit, les écoutes de Jo auront permis de ratisser large. Et pas seulement en espionnant Bernard

----

1. Entretien du 4 mars 2015.

Petit. Non seulement y apparaît le préfet de police de l'époque, Bernard Boucault, appelé par Jo pour un service, mais aussi l'homme de Manuel Valls dans le 94, le préfet Thierry Leleu. Cité comme témoin dans le dossier, son nom très vite sorti dans la presse crée des turbulences à Matignon.

Dès lors, Marie-France Monéger agace Manuel Valls. Pourtant elle garde des points communs avec lui : la même ambition dévorante et le même régime sans gluten. Elle qui répète à l'envi ne faire partie «d'aucun réseau, d'aucune coterie», a créé en septembre 2013 l'association Femmes de l'Intérieur. Fort de trois cents membres, ce groupe d'influence qu'elle préside concentre les femmes les plus capées de la Place Beauvau.

Celui qui s'est apparemment le plus activé pour lui savonner la planche, c'est l'incontournable Émile Pérez, sponsorisé en vain par Alain Bauer. Monéger soupçonne Pérez d'avoir alimenté la presse en fausses infos pour lui nuire. Le 11 mars 2014, Marie-France Monéger voyage en TGV avec le DGPN d'alors, Claude Baland. Soudain, leurs portables respectifs se mettent à carillonner à tout-va. Le site Internet d'un journal vient de titrer : «Une femme devrait prendre la tête de la police nationale». L'article précise que Monéger va remplacer Baland, nommé préfet dans le Nord. «On a chacun reçu près de soixante-dix SMS de félicitations, et puis mon téléphone a sonné, c'était Émile. Il m'appelait pour me complimenter et surtout pour dézinguer le bilan de Claude Baland, qui était assis à côté de moi, j'étais très gênée», raconte celle qui restera patronne de l'IGPN[1],

---

1. Entretien du 19 mars 2014.

tandis que Baland, lui, quittera effectivement son poste, mais deux mois plus tard et pas pour la préfecture du Nord...

Une femme flingueuse

« Au ministère de l'Intérieur, pour griller quelqu'un sur un poste, le meilleur moyen c'est de sortir son nom prématurément », décrypte un vieux routier de la Place Beauvau. Dans cette guerre de succession pour prendre la tête de la police, tous les coups sont permis. Début janvier 2015, dans les Hauts-de-Seine, après une soirée arrosée, un jeune conducteur fait une sortie de route et meurt sur le coup. Son copain qui le suit en Vespa assiste impuissant au drame. Le lendemain, le commissaire de permanence reçoit un coup de fil de son supérieur, lequel veut s'assurer qu'il a bien signalé au procureur le nom du témoin de l'accident, en l'occurrence un des enfants de MFM. D'après notre enquête, la consigne serait directement du patron de la sécurité publique dans le département, qui se trouve être à la fois l'ancien conseiller de Manuel Valls Place Beauvau, et un ami de Pérez.

Devenir la première femme patronne de la police, Marie-France Monéger a commencé à y penser très tôt, quand Frédéric Péchenard, promu par Nicolas Sarkozy, l'a fait venir à ses côtés comme conseiller technique. « L'exemple de Péchenard devenu DGPN malgré lui m'a fait comprendre que, dans certaines circonstances, on ne peut pas refuser un poste, explique-t-elle. Si le ministre me demandait d'être DGPN, est-ce que je pourrais dire non ?... Sûrement pas. » Le « Sarkoboy » Péchenard n'hésite pas à lui confier la direction de la communication de la Place Beauvau. « Un poste straté-gique, car on y apprend beaucoup sur beaucoup de monde », confie-t-elle. Un an et demi plus tard, la voilà missionnée cost-killer pour fusionner deux grandes directions de la maison poulaga, celle de la formation et celle du personnel. Une tâche dont elle s'acquitte ipso facto.

Propulsée numéro deux de la nouvelle direction mas-todonte, elle travaille main dans la main avec Péchenard. Mais c'est un autre sarkozyste, désormais « infréquen-table », qui a le plus impressionné Marie-France Monéger : Claude Guéant.

Gardère : une affaire qui mijote

Malgré ses amitiés avec la Sarkozie, l'Alsacienne ne cille pas lorsqu'il lui faut flinguer Alain Gardère. Ancien bras droit de Guéant, de Gaudin mais aussi pré-fet de police à Marseille et des aéroports, ce Bordelais, au physique de marathonien, dirige, on l'a vu, le Conseil national des activités privées de sécurité (CNAPS), lorsqu'il tombe pour embrouille en tout genre. Il est soupçonné d'avoir obtenu des facilités (appartements, vacances tous frais payés, des bons gueuletons, etc.) en échange de quelques menus services. L'enquête écla-bousse donc un proche de Sarkozy mais aussi deux fidèles de Valls, Alain Bauer, comme on l'a vu, et Renaud Vedel, le conseiller police de l'ancien ministre de l'Intérieur. « Je ne suis qu'une victime collatérale d'un règlement de comptes politique à gauche », assure Gardère[1] qui s'est reconverti dans l'intérim en attendant de créer sa propre boîte d'avions-taxis. Dans sa tête, Hollande l'aura visé pour atteindre en ricochet les réseaux Péchenard et l'éminence grise de Valls.

Aujourd'hui, quand on demande officiellement à l'IGPN quels faits sont à l'origine du déclenchement de l'affaire Gardère, c'est le grand flou. « Tout est parti de quelqu'un qui a parlé dans le dossier Masanet. C'est souvent comme ça quand les gens se sentent ferrés : ils détournent l'attention en disant regardez plutôt par là. On a tout de même pris l'affaire au sérieux. Lorsqu'on a vu que c'était du lourd, on a transmis au parquet qui a ouvert une préliminaire en août 2015 », explique la chef des bœuf-carottes[2].

Une version a priori malmenée par les faits. Bien avant que la machine judiciaire ne démarre, il semble que le Château s'intéressait déjà à Alain Gardère. Le dir' cab' de Hollande, Thierry Lataste, précédemment directeur de cabinet de Cazeneuve à la Place Beauvau, aurait demandé qu'on lui remonte du renseignement tous azimuts sur le préfet à l'ascension fulgurante. Un véritable audit aurait été réalisé sur les deux années passées par Gardère à l'aéroport de Roissy comme préfet délégué à la sécurité. Notes de frais, attribution des badges d'accès aux zones réservées sur l'aéroport, jusqu'à la facture de son pot de départ, tout aurait été scrupuleusement épluché.

Puis, en juin 2015, le service de renseignement financier de Bercy produit spontanément une note de

---

1. Entretien du 31 août 2016.
2. Entretien du 11 février 2016.

quarante-cinq pages sur Alain Gardère. C'est dans ce document qu'apparaît le nom d'un entrepreneur du bâtiment, aujourd'hui soupçonné d'être au cœur d'une vaste affaire de corruption. Le responsable de France Pierres aurait cédé à prix cassé à Gardère un appartement, prenant même à sa charge les frais de notaire et les travaux d'aménagements intérieurs. Ce volet de l'affaire inquiète désormais quelques élus LR en Île-de-France, qui auraient également goûté à la générosité de l'entrepreneur. Il est aussi une épée de Damoclès au-dessus de la tête d'un certain Renaud Vedel. Ancien conseiller sécurité de Valls à Beauvau, puis à Matignon, ce quadragénaire a travaillé aux côtés d'Alain Gardère. Tous deux étaient alors au service de Michel Gaudin, préfet de police de Paris devenu directeur de cabinet de l'ex-président Sarkozy. À cette époque-là, Gardère met en relation le patron de France Pierres avec Vedel, lequel s'achète un appartement. Les «bœuf» ont été ravis de l'apprendre.

«Gardère, c'est la police à l'ancienne... mais tout le monde connaissait ses faiblesses depuis longtemps. La question est de savoir pourquoi tout d'un coup on a voulu le faire chuter», s'interroge une huile de Beauvau[1]. De fait, sous le quinquennat Sarkozy, les fréquentations d'Alain Gardère avaient déjà attiré la curiosité. Par exemple, lorsque la DCRI avait capté ses conversations avec un ami restaurateur des Hauts-de-Seine considéré comme un correspondant des services marocains... Il faut dire que Gardère s'est longtemps cru intouchable, sûr de sa baraka, de la puissance de ses réseaux francs-maçons et politiques. «J'ai connu Sarko quand il était

---

1. Entretien du 7 avril 2016.

maire de Neuilly, aime-t-il à raconter[1]. Il roulait en Safrane. Comme il avait pris l'habitude de se garer au pied de l'immeuble où habitaient Cécilia et son mari Jacques Martin, je lui ai conseillé de ne plus stationner là... et on a sympathisé. Lui, Hortefeux et moi, on faisait la bringue à Neuilly tous les trois.» Le jeune commissaire devient vite un homme de confiance de la Sarkozie. D'autant qu'il séduit aussi Claude Guéant qu'il rencontre à Rennes quand ce dernier est préfet de Bretagne. Gardère se retrouve donc naturellement chef de cab' de Michel Gaudin à la PP, alors chargé par Sarkozy de veiller sur la maison poulaga pendant que Villepin occupe l'Intérieur. «J'ai vu beaucoup de choses. Tous les vendredis soir, je passais des docs à la broyeuse et j'ai failli plusieurs fois y laisser ma cravate!» s'amuse-t-il[2] en mimant l'action.

Aussi vantard que hâbleur, l'ex-préfet ne sait pas toujours tenir sa langue. Les «bœuf» en ont profité durant les six mois de 2015 où il est resté sur écoute. Des interceptions sur sa ligne téléphonique et sa messagerie professionnelle ont permis de ratisser large. Une récolte suffisamment abondante, confie une source proche de l'enquête, pour avoir nourri des «blancs», ces notes de renseignement qui remontent vers le sommet de l'État hors de tout cadre judiciaire.

Bizarrement, un petit service demandé par l'Élysée n'a pas aiguisé la curiosité des bœuf-carottes. À l'automne 2015, Bernard Rullier, conseiller de François Hollande pour les relations avec le Parlement, adresse

---

1. Entretien du 15 octobre 2012.
2. Entretien du 3 mars 2012.

un courrier à celui qui est encore directeur du CNAPS. Dans cette missive, il lui demande d'étudier avec bienveillance le CV d'un certain Bley Bilal Mokono, militant PS. Gardère s'exécute. Il prend «le protégé du Château» comme chargé de mission pour six mois, à 3 000 euros mensuels. Bien qu'ils aient suivi les tractations en direct, les enquêteurs de l'IGPN ne tirent pas le fil plus avant. Mokono n'est pas seulement un militant socialiste qui a ses entrées rue de Solférino : c'est aussi un proche de Claude Bartolone, président de l'Assemblée nationale, et l'un des anciens chauffeurs de François Hollande pendant la campagne présidentielle. Bref, un homme qui a forcément vu et entendu quelques secrets. Déjà en juin 2014, le président du groupe socialiste à l'Assemblée nationale, Olivier Faure, avait mouillé sa chemise pour lui. Le parlementaire s'était fendu d'une lettre au secrétaire d'État au Budget Christian Eckert, pour qu'il sauve la société Marvin Maryan Security, dont Bley Bilal Mokono est actionnaire. Peine perdue, l'entreprise rebaptisée «Matignon services de sécurité» sera quand même placée quelques mois plus tard en redressement judiciaire. Peu de temps après la garde à vue de Gardère, Alain Bauer a rendez-vous avec Bernard Cazeneuve, l'occasion pour lui de faire passer le message que l'affaire qui éclabousse «son» CNAPS, pourrait bien se retourner contre ceux qui l'ont amorcée. Et d'évoquer le coup de pouce en faveur de Bley Bilal Mokono, demandé par le Château...

En ce mois d'août 2016, Alain Gardère n'en revient toujours pas des moyens mobilisés sur son affaire : «Ils ont réquisitionné plus de vingt enquêteurs et quatre-vingts écoutes auraient été réalisées en tout!» Au moment de prendre congé, l'ancien préfet nous explique qu'il file à la banque retirer 50 000 euros afin de payer un tiers de la caution exigée par la juge qui instruit son dossier. Celle-là même qui s'intéresse aux conditions dans lesquelles l'homme d'affaires Stéphane Courbit a mis à disposition de son ami Nicolas Sarkozy le jet de l'affaire Air Cocaïne.

Au cimetière des éléphants

« L'IGPN est assurément un outil politique qui renseigne le ministre de l'Intérieur, explique un commissaire[1] blanchi sous le harnais de la PJ. Son travail consiste, par exemple, à renseigner la hiérarchie sur les relations journalistiques d'un policier. » Lorsqu'en 2006, *Place Beauvau*[2], dénonce des tortures commises sur des islamistes gardés à vue après les attentats de 1995, l'IGPN est aussitôt chargée d'une « enquête administrative ». Les bœuf-carottes auditionnent cent cinquante policiers, n'hésitent pas à faire leurs fadettes. L'objectif n'est pas alors de vérifier la véracité des révélations, mais de « faire tomber » les sources policières des journalistes. En vain.

L'IGPN, c'est aussi la trappe par laquelle, après chaque alternance, on jette les policiers qui affichent la mauvaise couleur politique. Le fameux « cimetière des éléphants » où les perdants sont invités à tuer le temps

---

1. Entretien du 19 janvier 2015.
2. Olivia Recasens, Jean-Michel Décugis, Christophe Labbé, *Place Beauvau. La face cachée de la police*, Robert Laffont, 2006.

pendant des années de purgatoire. C'est la partie « audit » des bœuf-carottes. La punition est parfois augmentée par des commandes de rapports à l'intitulé savamment choisi. Tel contrôleur général réputé pour son goût des alcools forts s'est ainsi vu confier une mission sur l'alcoolisme dans la police. Manuel Valls qui souhaitait y envoyer le sarkozyste Christian Flaesch, n'a pas eu gain de cause auprès de Monéger. La patronne de l'IGPN a fait savoir que la présence de l'ex-patron de la PJ parisienne, démis de ses fonctions pour faute déontologique, entacherait l'image de son service.

À l'IGPN sommeille déjà une kyrielle de Sarkoboys : Jacques Fournier, l'ancien directeur central de la sécurité publique ; Dominique Boyajean qui dirigeait les bœuf-carottes parisiens ; Gilles Furigo, ex-patron du service de protection des hautes personnalités ou encore Christian Sonrier qui régnait sur les commissariats parisiens. Pour tromper l'ennui, cette brochette d'anciens patrons se retrouve chaque mois autour d'un couscous. Dans ce restaurant marocain, on se rancarde sur les nominations de la maison poulaga avant même qu'elles ne soient officielles. Durant ces agapes aux allures de *shadow cabinet*, les convives préparent le retour de la droite aux affaires avec le secret espoir de s'échapper du cimetière des éléphants...

6

La belle PP

Au bout du fil, la voix est agacée, le ton cassant. Ce 6 avril 2014, jour du Marathon de Paris, la voiture du président de la République est bloquée porte d'Auteuil. Un des gardes du corps appelle en catastrophe la préfecture de police. Dans la salle de commandement de la Direction de l'ordre public et de la circulation, le permanencier comprend tout de suite que la demande est prioritaire. À peine a-t-il répercuté l'info à son chef que, dans la salle où une vingtaine de fonctionnaires veillent en permanence sur les 5 000 caméras vidéo de la police parisienne, c'est le branle-bas de combat. Ordre est donné de zoomer avec l'une des caméras de la porte d'Auteuil. Sur le mur vidéo apparaît alors en grand format le cortège présidentiel à l'arrêt, et soudain, sortant d'un buisson, François Hollande et... une jeune femme, que le Président va ensuite prendre en photo avec son iPhone. Ce dimanche, le Président et Julie Gayet se rendent à La Lanterne, l'ancien pavillon de chasse du château de Versailles, devenue résidence secondaire des Présidents depuis Sarkozy. Le préfet de police est aussitôt prévenu, tandis qu'une copie du film est mise à l'abri dans le coffre-fort de son directeur de cabinet.

111

Le lieu de tous les secrets

La préfecture de police de Paris (PP) est un État dans l'État voulu par Napoléon pour contrebalancer le pouvoir de son omniscient ministre de l'Intérieur, Fouché. C'est pourquoi le préfet de police, le «PP» comme on l'appelle, qui règne avec quarante-cinq mille fonctionnaires sur Paris et les trois départements de la petite couronne, a toujours été l'homme du Château face au ministre de l'Intérieur. Sauf à de rares exceptions près, en période de cohabitation.

Dès son arrivée à l'Élysée, Hollande ne déroge pas à la règle. En nommant Bernard Boucault, il va déposer une pierre dans le jardin de Manuel Valls. «Le gars auquel personne ne pensait», comme l'exécute en une phrase Alain Bauer, est l'ombre portée de Jean-Marc Ayrault, dont l'inimitié avec Valls est de notoriété publique. Ayrault, qui a eu cinq ans Boucault préfet des Pays de la Loire, sa terre électorale, a même soufflé son nom à Hollande pour qu'il en fasse son bras droit à l'Élysée.

Certain que le Château allait annexer la PP, Valls a pourtant tout fait pour persuader qu'il n'y avait aucune urgence à limoger le préfet en place, tout sarkozyste qu'il est. Il faut garder Michel Gaudin, c'est du moins ce que lui susurre son directeur adjoint de cabinet, Renaud Vedel qui, juste avant de devenir vallsiste était le bras droit de Gaudin à la PP. À deux reprises en Conseil des ministres, Valls monte au créneau pour essayer de sauver la tête du préfet sarkophile. Mais Hollande ne veut rien entendre, Valérie Trierweiler attise apparemment les braises. Elle soupçonne Michel Gaudin d'avoir commandité, sous le précédent quinquennat, une enquête sur sa vie privée. Et puis, l'influent Daniel Vaillant abhorre Gaudin. L'ancien ministre de l'Intérieur du gouvernement Jospin a un candidat parfait pour lui succéder : Boucault, qui fut son efficace directeur de cabinet. Si besoin, l'élu parisien, vieil éléphant socialiste, n'hésitera pas à user de son poids auprès du nouveau chef de l'État.

Au bout du compte, non seulement Valls ne sauve pas Gaudin mais ce dernier est expulsé *manu militari* de la préfecture de police par un Boucault qui semble régler des comptes personnels. Du jour au lendemain, Michel Gaudin est sommé de quitter son prestigieux appartement de fonction, sur l'île de la Cité, alors qu'il n'a aucun autre pied-à-terre à Paris. «Boucault a été désobligeant avec moi. Je comprenais que je devais partir, mais pas de cette façon», se lamente encore aujourd'hui celui qui est devenu directeur de cabinet de Nicolas Sarkozy[1]. «Boucault et moi, on était quasiment amis, on a commencé la préfectorale ensemble.» Premier coup de canif dans cette amitié, le jour où Gaudin se fait souffler le poste de préfet de Seine-et-Marne par Boucault. «Jospin alors Premier ministre me l'avait promis, jusqu'à ce que je découvre au *Journal officiel* le nom de Boucault, c'était lui qui m'avait biffé.» Et Gaudin de jurer la main sur le cœur : «Je ne lui en ai pas tenu rigueur. Au contraire, lorsque Fillon à Matignon a voulu le virer, je ne l'ai pas enfoncé, je lui ai même décroché un placard doré : directeur de

---

1. Entretien du 19 février 2014.

l'ENA.» Mais chez les préfets, la vengeance est un plat qui se mange très froid. C'est du moins ce dont Gaudin cherche à nous convaincre. Préfet de police, il aurait reçu un jour un coup de fil de son «ami». «Bernard Boucault m'a demandé de faire classer une affaire concernant son fils qui avait monté une société de produits anabolisants et qui était rattrapé par la patrouille. Je ne suis pas intervenu car j'ignorais le fond du dossier tout en me disant que Boucault était tout de même gonflé, raconte volontiers Michel Gaudin[1]. Il m'en a voulu à mort, c'est pourquoi j'ai été mis dehors aussi brutalement. Je n'ai même plus le droit de mettre un pied à la PP!» Plus tard, à l'été 2012, un curieux dossier mêlant le fils de Boucault à une histoire d'anabolisants circulera dans certaines rédactions. Sans effet.

Vendetta au sommet

Daniel Vaillant nourrit lui aussi un contentieux personnel avec Gaudin. L'ancien ministre de l'Intérieur n'a jamais digéré le chantier dont a été victime l'un de ses proches, haut fonctionnaire de la préfecture de police, du temps où Michel Gaudin en était le patron. Soupçonné à tort d'avoir participé à un trafic de documents pour des travailleurs immigrés clandestins, Yannick Blanc avait été limogé, cloué au pilori sur la place publique, ainsi que trois autres fonctionnaires de police tous sympathisants de gauche. L'IGS, la police des polices sur la capitale, avait prétexté la présence

---

1. Entretien du 19 février 2014.

parmi eux de l'un des gardes du corps de Vaillant, pour perquisitionner le bureau de ce dernier. Quelques mois après son arrivée à la PP, Bernard Boucault va venger Vaillant. Le patron de l'IGS, qui était à la manœuvre dans l'affaire Yannick Blanc, est remercié du jour au lendemain. Et pour enfoncer le clou, son service, on l'a vu, est avalé par l'IGPN, la police des polices au niveau national.

Place Beauvau, Manuel Valls laisse s'opérer la vendetta. L'occasion est trop belle d'affaiblir le PP en avalant ses bœuf-carottes. L'IGS, police interne et zélée, remontait au préfet un tas d'informations sensibles sur les troupes et lui permettait de savoir que tel baron de la PP rencontrait tel journaliste ou frayait avec tel élu. En perdant l'IGS, le préfet de police de Paris s'est carrément crevé un œil et amputé d'une oreille. Au point d'être obligé, quand il souhaite connaître les détails d'une affaire sensible qui touche à sa propre maison, de se renseigner auprès des syndicats policiers...

Depuis Beauvau, Valls humilie régulièrement Boucault. Comme ce 14 mai 2013, où il déboule dans son bureau pour lui remonter les bretelles. La veille, la fête voulue par le Qatar, propriétaire du PSG, pour célébrer la victoire a dégénéré en bataille rangée entre le Trocadéro et la tour Eiffel, faisant une trentaine de blessés. Le dispositif de sécurité était sous-dimensionné. « On l'avait pourtant tous écrit, chez nous comme à la Centrale : attention à l'alliance possible entre les hooligans et les ultracasseurs, peste un policier du renseignement territorial[1]. Apparemment les infos ne sont pas remontées

---

1. Entretien du 22 mai 2013.

jusqu'à Beauvau. Et le PP a dû se pointer lui-même sur place quand il a vu que tout partait en vrille.» Mais l'opposition, bien décidée à exploiter le ratage, en fait des tonnes. Jean-François Copé va jusqu'à réclamer la démission de Boucault. À contre-emploi, voilà Valls obligé de défendre ce dernier. Mais les témoins de la rencontre entre les deux hommes évoquent un Valls hors de lui, hurlant après le PP : «Cela ne peut pas se reproduire!» En guise de représailles, le ministre de l'Intérieur fait d'ailleurs muter le numéro deux de l'ordre public de la préfecture. Le directeur de cabinet du PP, lui, sauve miraculeusement sa tête. Celle-ci se retrouve encore une fois sur le billot lorsqu'en juillet 2014, aux alentours de la Bastille, non loin du domicile de Valls, devenu Premier ministre, une manifestation pro-palestinienne pourtant interdite par la préfecture dégénère en guérilla urbaine. Alors que les émeutiers assiègent la synagogue du quartier, le président du Consistoire juif, barricadé à l'intérieur, téléphone à Valls pour l'alerter. Hors de lui, le Premier ministre appelle Boucault pour lui enjoindre de mettre le paquet afin de disperser les manifestants. Plus tard, le directeur de cabinet en question, Laurent Nunez, sera débarqué... mais avec un joli poste : préfet de police de Marseille. La vidéo de Hollande et Madame qu'il détenait dans son coffre l'aurait-elle protégé ?

Beauvau et PP, ennemis héréditaires

Quoi qu'il en soit, à Matignon, Valls garde une dent contre Boucault. Il débarquera ainsi lors de la cérémonie de son départ avec près d'une heure de retard, au beau milieu du discours du préfet... Ce jour-là, le Premier ministre a une autre raison de marquer sa mauvaise humeur, il connaît le nom du successeur du préfet de police de Paris... qui est encore plus proche du Château. À soixante-sept ans, Michel Cadot n'est pas seulement un pur produit de la préfectorale, il est aussi un ancien de la promotion Voltaire et a également servi la Chiraquie, ces réseaux qu'affectionne tant Hollande. N'a-t-il pas été le conseiller de Dominique de Villepin lorsqu'il était Premier ministre ? À Matignon, l'ennemi juré de Sarko l'avait appelé à ses côtés, pour remplacer un fidèle parmi les fidèles dont il venait de faire son directeur de cabinet, Bruno Le Maire. Une fois installé dans son fauteuil de PP, Cadot récupère à son tour comme chef de cab' un jeune sous-préfet, qui, jusqu'alors œuvrait au sein d'une discrète task force montée pour Bruno Le Maire.

Lorsqu'on interroge, comme nous l'avons fait en juillet 2016, François Hollande sur ses liens avec Michel Cadot, le Président s'empresse de les minimiser : « Je le connaissais à peine, je l'ai vu une ou deux fois. On s'étonne que je nomme des gens de la promotion Voltaire et pas forcément de gauche. Mais simplement parce que nous sommes tous à un âge où nous arrivons aux plus hautes responsabilités. » Fort de cette proximité, Michel Cadot est bien décidé à ne plus céder un pouce de terrain à l'ennemi séculier : la Place Beauvau.

Cependant, il a dû composer avec la maire de Paris, une proche de François Hollande, qui a repris la main sur les amendes de stationnement et les licences des débits de boissons, à l'instar des autres édiles de France.

Coup dur pour la PP. « Se montrer magnanime ou au contraire pointilleux sur une terrasse qui prend ses aises, une voiture mal garée, ou une entorse à la réglementation des établissements de nuit, a de tout temps permis à la PP de recueillir des tuyaux en tout genre à moindre frais », explique un vieux briscard du 36.

Face à Beauvau, le nouveau préfet de police de Paris s'est battu pour que les futurs locaux de la PJ parisienne, rue du Bastion, dans la ZAC des Batignolles, soient au numéro 36[1]. Le diable se cache parfois dans les détails. Moins anecdotique, Cadot aura défendu bec et ongles la BRI, l'unité d'intervention de la PJPP, face au patron de la police nationale qui voulait en couper un morceau pour le greffer au RAID. Non seulement la BRI n'a pas été amputée, mais ses effectifs ont doublé, passant de quarante-sept à quatre-vingt-dix-huit personnes. Elle a, en prime, récupéré des IMSI-catchers, ces valises d'interception très prisées qui permettent d'aspirer discrètement tous les échanges téléphoniques alentour.

Pour pouvoir être projetée à n'importe quel coin de la capitale en cas d'attentat, la BRI est le seul service à rester au 36 lorsque tous les autres vont déménager aux Batignolles. Le PP a aussi obtenu que la BRI ait, comme le RAID, le droit de tester un incroyable camion d'assaut blindé. Huit mètres de long, trois mètres de haut, des pointes à cent kilomètres-heure, Titus, c'est son nom, résiste aux attaques balistiques, nucléaires, radiologiques, biologiques et chimiques. Un joujou à 2,4 millions d'euros qui a fait l'objet de multiples reportages.

---

1. Lire le chapitre « Au 36ᵉ dessous », p. 131.

Christophe Molmy, le patron de la BRI (surnommé «le Scorpion» parce que, persifle un flic[1], «tu ne peux pas t'en faire un ami, il finit toujours par piquer»), est dans les petits papiers du préfet, qui en avait fait très vite son bras armé contre le DGPN.

Michel Cadot bénéficie d'un autre allié dans la place en la personne de Christian Sainte, à la tête du 36. Les deux hommes se sont connus à Marseille : le premier était préfet de Marseille lorsque le second était le patron de l'Évêché, le 36 phocéen. Grâce au patron du 36, le PP suit comme le lait sur le feu tous les dossiers judiciaires sensibles : lorsqu'ils concernent le monde politico-financier mais aussi des personnalités éclaboussées par les affaires de stupéfiants ou de mœurs. Le préfet de police est là aussi pour que ce genre d'histoire ne sorte pas. Ou fasse le moins de dégâts possible. Ainsi, en avril 1994, lorsque François de Grossouvre, le conseiller occulte de François Mitterrand, est retrouvé mort dans son bureau à l'Élysée, le préfet de police d'alors, le redouté Philippe Massoni, se démène pour que l'affaire ne vire pas au scandale. Sitôt alerté, il avertit : «J'arrive, ne touchez à rien.»

Son successeur Cadot ne se déplacera pas ce 17 janvier 2016. Mais il se tiendra particulièrement informé d'un tragique fait divers. Et pour cause... Vers une heure du matin, dans le quartier de Ménilmontant, un commando d'une dizaine de personnes cagoulées et armées de barres tabassent à mort un jeune homme de vingt-neuf ans. Au 2e district de la police judiciaire, chargé de l'enquête, on comprend vite que l'enquête de

---

1. Entretien du 3 février 2015.

voisinage va être compliquée. En effet, l'agression a eu lieu à quelques mètres seulement du loft où habite... Julie Gayet. Un témoin anonyme décrit aux enquêteurs avec précision la scène du crime. En fait, le témoin en question est un policier qui a pu visionner les images de discrètes caméras placées dans l'impasse pour sécuriser les allées et venues de la comédienne et de son prestigieux amant. « Il arrive, dans les affaires criminelles ou de stups, que l'on utilise des caméras dissimulées dans du mobilier urbain, qui sont capables de faire des zooms à quatre cents mètres de distance, confie un capitaine de la PJ[1]. Ensuite, on blanchit judiciairement les infos ainsi recueillies, en invoquant dans la procédure "un renseignement anonyme". »

La DRPP, assurance-vie du préfet de police

Le PP dispose aussi de son propre service de renseignement. La Direction du renseignement de la préfecture de police de Paris (DRPP) est le seul service de renseignement intérieur à ne pas avoir été balayé dans le tsunami généré en 2008 sous Nicolas Sarkozy par la fusion des RG et de la DST en une Direction centrale du renseignement intérieur (DCRI, devenue DGSI en 2012). « Le seul changement, c'est le sigle RGPP, pour Renseignements généraux de la préfecture de police, devenu DRPP, s'amuse un officier[2] en poste dans la boutique depuis une vingtaine d'années. D'ailleurs,

---

1. Entretien du 28 avril 2016.
2. Entretien du 15 janvier 2016.

comme au temps des RG, on a gardé un groupe qui fait de la veille sur les entreprises de presse, de même qu'on continue à suivre les syndicats et tous les mouvements sociaux.» Un suivi qui sert d'assurance-vie au PP, tant qu'il peut garantir une certaine «paix sociale» dans la capitale au ministre de l'Intérieur. Non seulement la DRPP est restée intacte, mais elle a gagné en puissance. Les attentats de *Charlie Hebdo* et de l'Hyper Cacher ont conduit au recrutement d'une centaine d'agents. Aujourd'hui, ils sont près de six cents fonctionnaires à être les yeux et les oreilles du PP dans la capitale et la petite couronne. Une expansion territoriale jamais digérée par la direction du renseignement intérieur.

C'est là qu'à l'été 2016 le rapport parlementaire sur les attentats du 13 novembre tombe à point nommé. Parmi ses propositions : rétrécir le champ d'action de la DRPP, en la cantonnant au seul Paris intra-muros. Voilà qui n'est pas pour déplaire au ministre de l'Intérieur, toujours prompt à rogner les ailes du préfet. Dans sa réponse à la Commission parlementaire, Bernard Cazeneuve laisse d'ailleurs la porte entrouverte à un «démembrement de la DRPP», qui pourrait être mis en œuvre «au terme d'expertises poussées». Et de dégainer illico une mission d'inspection sur «les relations entre la DRPP et les autres services de renseignement». L'appétit du nouveau PP a de quoi énerver la Place Beauvau. La DRPP n'a-t-elle pas réussi une OPA sur le renseignement aéroportuaire ? Une occasion servie sur un plateau par le préfet en charge de la sécurité à Roissy, Philippe Riffaut. Pour tenter d'endiguer l'entrisme des fondamentalistes islamistes parmi les quatre-vingt-six mille salariés à Charles-de-Gaulle, Riffaut a obtenu la création d'une cellule de renseignement ad hoc. C'est la DRPP qui a pris le contrôle de cette task force d'une trentaine de personnes, qui mêlent fonctionnaires de la préfecture de police, gendarmes et douaniers. Pour convaincre le Château de lui confier cette nouvelle responsabilité, Michel Cadot s'est fendu d'un rapport argumenté de sept pages. Le directeur général de la police a dû céder, tout comme Riffaut, qui, en échange de cette concession, a obtenu la revalorisation de son grade, passant de «préfet délégué» à la sécurité de Roissy à «préfet» tout court. Mais, comme l'explique un commissaire du renseignement territorial[1], «donner les clefs à la DRPP, c'est aberrant parce qu'ils sont absents dans la grande couronne où habitent la plupart des gens à cribler. Ça va être une structure de renseignement amoindrie».

Ce qui est certain, c'est que la DRPP fait des jaloux. À Roissy, deuxième frontière de France, ses hommes voient passer beaucoup de choses. Qu'un people rentre d'un pays du Golfe et oublie un bagage avec 9 000 euros en liquide à l'intérieur, et l'info est archivée à toutes fins utiles. Qu'un homme politique voyage avec une jeune femme inconnue de son ministère et le cliché fait l'objet d'une note... «On peut savoir qui voyage avec qui, quand et où», précise notre commissaire avec un sourire entendu. D'autant que l'aéroport du Bourget d'où atterrissent et décollent les jets privés des hommes d'affaires et de certains élus est aussi du ressort de la cellule rens'.

---

1. Entretien du 15 janvier 2016.

Le roi René

Autant dire que le patron du renseignement de la préfecture de police de Paris n'a jamais été aussi puissant. Installé dans le fauteuil depuis 2009, René Bailly, donné maintes fois partant, aura survécu à trois préfets et à un atterrissage chaotique. Un mois à peine après son arrivée, deux policiers de la PP sont filmés en flagrant délit de vol. Ils sont venus, en civil, racketter une boutique tenue par des Pakistanais. Alertée, la police interpelle les deux poulets qui prétendent avoir été agressés alors qu'ils contrôlaient le commerce. Une version vite battue en brèche par l'enquête de l'IGS. Les deux ripoux se sont révélés être des hommes de la DRPP chargés de l'immigration irrégulière...

Signe extérieur de son pouvoir, le «roi René» dispose dans son bureau d'un écran sur lequel il peut visionner en direct les images à 365 degrés des milliers de caméras de la PP qui surveillent Paris, orienter chacune d'entre elles à l'aide d'un Joystick, et zoomer sur un détail jusqu'à la plaque d'immatriculation d'une voiture, par exemple. La DRPP dispose aussi d'une sorte de Service action, composé d'agents tout-terrain rompus aux filatures et aux surveillances. Une unité spéciale dont il a confié les rênes à un très proche, le sous-directeur chargé de la lutte contre le terrorisme et les extrémismes à potentialité violente. Un fidèle lieutenant dont le dévouement semble inquiéter certains flics qui ont eu l'occasion de travailler avec lui : «Tu lui dis de "visiter" un appart', quel que soit l'appartement, il obéit, il est capable de faire n'importe quoi, y compris une connerie si le chef le demande[1]. »

Dans le « dossier du soir », religieusement déposé chaque fin de journée sur le bureau du préfet de police, la vingtaine de notes quotidiennes signées par la DRPP figurent en bonne place, en concurrence avec la livraison de la PJ sur les affaires en cours, et celle de la DSPAP[2], la police en tenue parisienne. S'y ajoutent les « Notes confidentielles », ces renseignements sensibles anonymes qu'on appelle encore les « blancs ». La DSPAP en est grande pourvoyeuse. Lorsque, par exemple, le directeur de la rédaction d'un journal est contrôlé sur son scooter après une soirée arrosée et brièvement placé en garde à vue, l'info remonte immédiatement au PP, ainsi que le nom de sa passagère. Un renseignement utile pour l'exécutif, qui pourra au moment opportun, sur une simple allusion, désarçonner le patron de presse.

Meric, l'homme de Valls

Il est arrivé que la DSPAP ait carrément entre ses mains le destin d'un politique. Quelque temps avant la présidentielle de 2007, une patrouille de nuit de la police en tenue toque à la porte d'une camionnette stationnée dans une contre-allée du bois de Boulogne. À l'intérieur, deux travestis et un homme qui interpelle les fonctionnaires : « Vous me reconnaissez ? » Ces

---

1. Entretien du 25 avril 2012.
2. Direction de la sécurité de proximité de l'agglomération parisienne.

derniers opinent du chef, sidérés de se retrouver face à Dominique Strauss-Kahn. Le lendemain à l'aube, le rapport relatant la rencontre «du troisième type» est posé sur le bureau le patron de la DSPAP. Une fois n'est pas coutume, ce n'est pas le préfet de police qui profite de la pépite, car Pierre Mutz, nommé par Jacques Chirac, joue en toute logique contre le ministre de l'Intérieur Nicolas Sarkozy. Le renseignement est transmis au locataire de la Place Beauvau par un circuit court. Sarkozy, qui a déjà occupé le poste, a eu le temps de placer ses hommes à lui à la PP, notamment le patron de la DSPAP. Celui-ci communique l'info au directeur général de la police, le fidèle Michel Gaudin, qui en parle aussitôt à son chef. À Beauvau, on décide de garder le renseignement sous le coude. Sarkozy devenu Président soutiendra la candidature de DSK au poste de patron du FMI, avec en tête l'idée d'en faire le leader incontournable mais vulnérable de la gauche lors de la présidentielle de 2012. Lorsque Gaudin sera nommé préfet de police, il ne pourra pas s'empêcher de raconter l'histoire à certains de ses interlocuteurs...

Une fois triées par la hiérarchie de la préfecture de police, nombre de notes sont adressées par motard quotidiennement à l'Élysée. François Hollande a été ainsi informé, presque en temps réel, qu'un conseiller de Sarkozy avait porté plainte dans un commissariat des beaux quartiers de Paris pour une sordide affaire de mœurs. La main sur le cœur, Jacques Meric[1], patron de la DSPAP, le répète à qui veut l'entendre : «Je ne fais pas remonter les notes sur la vie privée...» Puis

---

1. Entretien du 22 septembre 2016.

ajoute sourire en coin : «... sauf quand l'affaire est judi-
ciarisée».

En ce début d'automne 2016, alors que nous déjeu-
nons avec lui, Meric paraît particulièrement détendu :
dans la capitale, ses troupes ont géré l'Euro de football
sans encombre. Ce midi, comme à son habitude, il ne
consomme ni café ni vin. Sa «drogue» à lui, c'est
l'opéra. Une passion qu'il partage avec Valls : la dernière fois qu'il a croisé le Premier ministre, c'était lors
d'une représentation à Bastille. En outre, Valls et son
ancien conseiller conversent régulièrement par téléphone. Ainsi, il y a quarante-huit heures à peine, les
deux hommes se sont parlé. Celui qui est encore Premier
ministre est en déplacement à Barcelone. Il cherche à
obtenir des informations sur ce mauvais canular qui
a failli ridiculiser la police. Meric, qui nous raconte la
scène, a fourni au ministre les détails : deux ados ont
piraté la ligne téléphonique d'une église dans le quartier
des Halles à Paris et fait croire à une prise d'otages.
Alors que le prêtre célébrait tranquillement sa messe,
tout le quartier a été bouclé, les riverains évacués, tandis que les tireurs d'élite de la BRI prenaient position.
Parallèlement, le ministère de l'Intérieur a déclenché
son tout nouveau système d'alerte et d'information aux
populations pour smartphones, affichant aussitôt, sur
des milliers de portables le message suivant : «Église
alerte attentat, intervention en cours des forces de
l'ordre et de secours», avec la localisation de l'événement sur une carte, tous ceux présents dans le secteur
étant invités «à s'abriter» et «à ne pas s'exposer»...
Tandis que le prêtre et des fidèles sortaient de l'église
les mains en l'air, la Place Beauvau s'échinait à éteindre

le début de panique auprès des médias et des réseaux sociaux qui avaient relayé le message. Si l'Intérieur a envoyé son alerte sur portable, avec une telle précipitation, c'est parce que deux mois plus tôt, lors du massacre de Nice, l'application victime d'un «incident technique», s'était déclenchée avec trois heures de retard.

Soudain, au milieu de notre conversation, le téléphone de Jacques Meric sonne. Au bout du fil, l'un de ses adjoints l'avertit que le fils de Valérie Pécresse, la présidente LR de la région Île-de-France, vient de se faire arrêter dans le 15ᵉ arrondissement de Paris, avec quatre grammes de cannabis sur lui. À peine a-t-il raccroché que le patron de la DSPAP en informe directement le préfet de police. Quarante minutes plus tard, alors que nous venons de prendre congé du policier, c'est à notre tour de recevoir un SMS. Un des collaborateurs de Claude Bartolone, le président de l'Assemblée nationale, est en train de faire le tour de ses contacts journalistes pour les mettre au courant de l'interpellation, avec force détails. Fait rarissime pour une aussi petite quantité de drogue, le jeune majeur interpellé a été placé en garde à vue. Le renseignement aura mis moins d'une heure à être exploité politiquement. Il faut dire que la rivale victorieuse de Bartolone a fait de la lutte contre la drogue un de ses thèmes de campagne. Une fuite qui n'a pas dû, non plus, déplaire à Matignon. Manuel Valls, qui voulait verrouiller à son profit la région, avait en effet mouillé sa chemise pour Bartolone.

Car même s'il s'en défend, Jacques Meric est bien l'homme de Manuel Valls. D'ailleurs, en privé, il n'est pas tendre avec le préfet de police, ancien condisciple de François Hollande à l'ENA, ni avec Bernard

127

Cazeneuve, alors ministre de l'Intérieur et fidèle du Président. «Cadot ne décide jamais. Le lundi, c'est blanc, le mardi, c'est noir. Je suis franc avec lui. Je n'ai rien à perdre. Parfois, quand il me dit : "C'est ce qu'a dit le ministre", je lui réponds : "Le ministre se trompe. Il dit des conneries[1] !"» Cazeneuve lui aussi en prend pour son grade : «Il est énervé, énervant et pénible. Je n'aurais pas pu bosser avec lui. Il fait du micromanagement. Il veut tout, tout le temps. Des notes sans arrêt.» La PP est décidément un monde à part, où les huiles de la police se sentent plus puissantes que les élus. D'autant qu'on est dans l'entre-soi. Loin, par exemple, de ces enquiquineurs de gendarmes qui n'ont pas droit de cité sur Paris. Le seul pandore toléré à la préfecture de police, c'est l'officier de liaison attaché au cabinet du préfet. Et côté PJ, les limiers de la section de recherche de Paris, près de la porte de Bagnolet, sont tenus à bout de gaffe par le 36...

Les privilèges perdurent

Jusqu'au milieu des années 1990, les énarques qui rejoignaient le cabinet du PP trouvaient dans leur trousseau une carte de police. Un sésame supprimé lorsqu'un collaborateur du PP, de retour du festival de Cannes, a eu la mauvaise idée de l'exhiber au comptoir Air France pour exiger une place sur un autre vol qui était surbooké. Un autre privilège, lui, a perduré jusqu'en 2015. Il s'agit des cartes coupe-fil distribuées selon le bon

---

1. Entretien du 22 septembre 2016.

vouloir du préfet. Un document barré bleu, blanc, rouge, qui permet de passer les cordons de police et aussi de faire savoir lors d'un contrôle qu'on est dans les petits papiers du PP. Dans la liste tenue secrète des heureux bénéficiaires, figurait étonnamment le comte de Paris.

Parfois, le précieux sauf-conduit se bricole. En avril 2015, une Jaguar remonte en trombe les Champs-Élysées dans le couloir de bus, la plaque d'immatriculation est immédiatement flashée par les caméras de police. L'affaire se serait soldée par une simple contravention si le chauffard n'avait pas protesté sitôt son PV reçu par la poste. Dans une lettre adressée au cabinet du préfet de police, il exige que sa contredanse soit mise au panier, au motif qu'il dispose d'un laissez-passer l'autorisant à «circuler dans les couloirs de bus sept jours sur sept, vingt-quatre heures sur vingt-quatre, à l'exception des voies à contresens». Et là patatras, après avoir examiné la photocopie du document joint à la lettre, les services de la préfecture saisissent la justice pour faux et usage de faux. Convoqué au commissariat, le conducteur de la Jaguar, un entrepreneur du BTP, également élu du 1er arrondissement de Paris sur la liste des Républicains, explique benoîtement que le sésame lui a été délivré en 2008 sur ordre de l'un de ses amis, Renaud Vedel, à l'époque conseiller du sarkozyste préfet de police, Michel Gaudin. À l'évocation de ce nom, les fonctionnaires de police appellent le parquet qui met aussitôt fin à l'audition.

Supprimer la PP a longtemps été le leitmotiv de la gauche. Un serpent de mer même. Sauf qu'une fois aux manettes, elle a goûté à son tour à la puissance de la machine. Pierre Joxe, emblématique ministre de l'Intérieur sous François Mitterrand, en débridera même le moteur. « Supprimer la préfecture de police de Paris », telle était encore la proposition choc du député Jean-Jacques Urvoas en 2011, alors qu'il se rêvait ministre de l'Intérieur. Comme d'habitude, rien ne s'est passé comme prévu. Devenu président de la Commission des lois, puis garde des Sceaux, l'homme de Valls s'est parfaitement accommodé de l'hérésie juridique qu'il était « urgent d'abolir »...

7

Au 36ᵉ dessous

«Ça sent le gaz et ça va nous péter à la gueule!» Dans la pièce, la phrase a l'effet d'une grenade à vide qui aurait brûlé tout l'oxygène. Figés dans un silence étouffant, les trois policiers ont arrêté leur débriefing secret. Il fait déjà une nuit d'encre sur Nanterre en cet hiver 2013, et le numéro trois de la PJ sait au fond de lui que son adjoint dit vrai. Quelques minutes plus tôt, la chef de l'Office central de lutte contre la corruption, les infractions financières et fiscales leur a avoué : «J'ai prévenu le juge.» Christine Dufau ne supportait plus d'entendre sur les zonzons (les écoutes, en argot flic), le patron du 36, quai des Orfèvres, Christian Flaesch, renseigner Brice Hortefeux, l'ancien ministre de l'Intérieur de Nicolas Sarkozy sur une affaire qui le vise directement. Même si depuis plusieurs jours, Bernard Petit et son adjoint Philippe Veroni tentaient de dissuader leurs collègues de s'épancher auprès du juge Tournaire. «Si on le signalait on allait nous accuser de vouloir nous payer la PP et si on ne disait rien, de chercher à protéger Flaesch. Dans les deux cas : des emmerdes en perspective», nous explique aujourd'hui Petit[1].

---

1. Entretien du 17 juillet 2016.

Le compte à rebours est enclenché. Et plus rien ne peut l'arrêter. Dans vingt-quatre heures, le juge Tournaire demandera la retranscription intégrale des écoutes. Le magistrat qui enquête sur les soupçons de financement de la campagne présidentielle de Sarkozy en 2007 par Kadhafi a le sentiment d'une collusion entre le policier et l'ancien ministre qu'il a fait placer sur écoute. Il considère aussi que Flaesch bavarde trop avec Guéant et Gaudin, deux autres piliers de la Sarkozie. Il en informe donc le procureur de Paris. Pressentant le caractère explosif de l'affaire, François Molins refile le dossier au parquet général qui, ne décelant pas de faute pénale, fait convoquer Christian Flaesch pour lui taper sur les doigts. « Cruella », comme l'appelle une partie de ses troupes, ressort du rendez-vous rasséréné. D'autant que, de son côté, le préfet de police lui a également réitéré sa confiance et assuré qu'il n'avait rien à craindre. Patron du 36 il était, patron du 36 il restera.

C'est sans compter sur Manuel Valls. Le ministre de l'Intérieur décide de baisser le pouce. Pas question de laisser passer une si belle occasion de se débarrasser d'un flic étiqueté sarkozyste pour installer un homme de confiance à la tête de la prestigieuse police judiciaire. Le 11 décembre 2013, lors de la matinale d'Europe 1, Valls annonce ainsi le limogeage de Cruella : « C'est une faute déontologique d'avoir choisi d'informer l'ancien ministre de l'Intérieur. » Et dans la foulée, il désigne le nom de son successeur : Bernard Petit. « J'ai appris à la radio qu'il débarquait Flaesch. J'ai tout de suite pensé que c'était un peu dur, se souvient le grand flic qui, avec le recul, voit dans cette annonce un baiser de la mort involontaire. Je n'imaginais pas qu'il me proposerait pour le 36. Cela a eu pour effet de me désigner encore plus à la vindicte des sarkozystes. Pour eux, par les enquêtes que je conduisais, j'étais déjà l'ennemi, je suis devenu l'Antéchrist. Je ne voulais pas du poste. J'ai dit au ministre que ça allait être mal vu que je sois ainsi parachuté dans le fief de la PJ parisienne, où je n'avais jamais exercé. J'ai même proposé des noms de rechange[1]...» Parmi les suggestions, Christian Sainte qui, ironie du sort, prendra sa place lorsque Bernard Petit tombera à son tour en février 2015. L'intuition de Bernard Petit est bonne. Désormais, il aura deux ennemis mortels. La Sarkozie qui ne lui pardonne pas d'avoir crucifié Christian Flaesch, mais aussi le Château qui voit en lui un homme de Valls.

Ainsi, coup sur coup, la mythique police judiciaire va perdre deux de ses patrons, Flaesch puis Petit. Maigret a dû en avaler sa pipe et son chapeau. Le patron de la PJ parisienne règne sur deux mille deux cents policiers et voit passer des dossiers politiquement très sensibles. En lien direct avec l'Élysée, véritable contre-pouvoir au ministère de l'Intérieur, la PJPP est aussi un sacré panier de crabes où les carrières se font et se défont, et les rivalités s'exacerbent. Le tout dans un décor de polar digne des années 1950.

Interdiction de séjour

À peine nommé par Sarko grand patron de la police nationale, en 2007, Péchenard installe son ami Flaesch

---

1. Entretien du 17 juillet 2016.

à la tête du 36. Ici, le long de la Seine, c'est la maison de Pèch'. Ce fils d'avocat d'affaires s'y est fait un nom après être entré par la petite porte des Stups. Vingt ans dans une boutique dont il prendra la tête grâce à Sarkozy. Frédéric et Nicolas se connaissent depuis l'enfance. Les deux familles habitaient dans la même rue du 17e arrondissement de Paris et leurs mères, avocates toutes les deux, prenaient le thé ensemble. Le 13 mai 1993, lors de la prise d'otages de la maternelle de Neuilly, Pèch', devenu chef de l'antigang, retrouve Sarkozy, maire de la ville, qui joue les Superman en proposant de prendre la place des otages. Un fait d'armes qui scelle leurs retrouvailles. Une fois nommé ministre de l'Intérieur, Sarkozy hisse Péchenard à la Sous-direction des affaires économiques et financières. L'assurance d'avoir la main sur les enquêtes susceptibles de lui nuire ou d'envoyer dans le décor ses ennemis politiques.

Même après l'alternance, Frédéric Péchenard a conservé les clefs du 36. Le préfet de police est d'ailleurs persuadé que certains articles de presse qui épinglent les mauvais résultats de la sécurité à Paris sont nourris des dernières statistiques par des «taupes» de l'ancien directeur de la PJ parisienne. L'ami du petit Nicolas a aussi gardé la main sur l'un des événements policiers et mondains les plus courus de la PP : le prix du Quai des Orfèvres qui récompense le meilleur polar – écrit par un flic – de l'année. Si chaque année, c'est dans ses salons d'apparat que le préfet de police, président d'honneur du jury, remet le trophée, le vrai maître de cérémonie, c'est Frédéric Péchenard. L'ex-directeur général des Républicains a truffé le jury de Sarkoboys, comme Christian Flaesch ou, seul élu à en être membre,

Pierre Charon, sénateur de Paris. Preuve de la toute-puissance de Péchenard, même le préfet de police Bernard Boucault, excédé par les sorties médiatiques au lance-flammes du sénateur, ne parviendra pas à le faire rayer du prix du Quai des Orfèvres. Charon, fier comme un paon, en profitera même pour passer un message à Bernard Petit envoyé comme émissaire : « Ne grillez pas vos cartouches, la droite va revenir. »

Une fois, tout de même, Pèch' se cassera les dents. C'est lorsqu'il tentera de recruter comme juré Bernard Squarcini, l'ex-patron du renseignement intérieur, déjà cerné par les affaires judiciaires... Lorsqu'il pousse son nom auprès de Fayard, l'éditeur partenaire du prix et que celui-ci l'interroge : « Mais que fait Squarcini maintenant au juste ? », Péchenard, décomplexé, rétorque à propos de son ami reconverti dans le privé : « Bernard, il fait la même chose qu'avant, mais payé dix fois plus. »

Sorti de la maison police et reconverti en politique, Péchenard, l'ancien taulier du 36, n'hésite pas à pousser la porte du Quai des Orfèvres, sans prévenir, histoire de faire le tour des bureaux. C'est ainsi que les flics en poste ont décrypté le sens de ces visites : si on revient, gare à tous ceux qui ont fait du zèle sur les dossiers touchant à la Sarkozie. Alerté des allers-retours clandestins de Frédéric Péchenard, le préfet de police entre dans une colère noire contre celui auquel il veut désormais interdire l'accès du 36.

Bernard Petit est chargé de transmettre l'interdiction de séjour à son prédécesseur. Lors d'un déjeuner en tête à tête dans un restaurant du 15ᵉ arrondissement, il prévient Péchenard, devenu conseiller régional d'Île-de-France :

«Tu viens à la PJPP en cachette avec des élus du Conseil de Paris. Le préfet ne veut pas de ça. Toi-même, tu ne l'aurais pas admis lorsque tu étais à ma place. Je ne t'interdis pas le 36 comme le veut Boucault, mais arrête de venir dans mon dos, préviens-moi, on ira prendre un café ensemble[1]...» Plus tard, au cours du même repas, Pèch' aurait lâché, d'un ton menaçant : «Il y a une cabale anti-Sarkozy. On sait qui y est, chez les policiers, chez les gendarmes, et chez les journalistes. On a identifié le problème, on le réglera.» Bernard Petit saisit alors la balle au bond pour vérifier ce qu'on lui raconte sur l'ex-directeur du renseignement intérieur. Il paraît que Squarcini se répand partout en disant : «La gauche a mis trois jours pour faire le ménage, nous on le fera en moins de vingt-quatre heures!» Réponse froide de Péchenard : «Il ne faut pas tout croire. Mais si je reviens, je changerai les gens, parce que d'autres attendent leur place.»

En terre hostile

Bernard Petit n'a plus guère de doutes : la vengeance des sarkozystes est en marche. Ne lui a-t-on pas dit que son nom figurait sur une «liste noire» avec une dizaine d'autres policiers à punir si la droite l'emportait en 2017? De fait, le nom de Péchenard apparaît en ombre chinoise dans la chute de Bernard Petit. Son ancienne secrétaire, Laurence Bastien, encartée chez Les Républicains, est, quelques mois avant que le scandale

---

1. Entretien avec Bernard Petit du 24 juillet 2014.

n'éclate, entrée en contact via une amie commune, avec l'épouse de Petit, jusqu'à en devenir très proche. Entre copines, elles s'offrent des week-ends et des petites bouffes. «Lolo», comme l'appellent familièrement les flics du 36 à qui elle claque la bise, s'est constituée un très efficace réseau d'informations à travers l'association des secrétaires et petites mains de Beauvau dont elle est la présidente. Devenu patron de la PJ parisienne, Petit a eu le sentiment que l'entourage de Péchenard était très renseigné sur son patrimoine, et se passionnait tout particulièrement pour un appartement acheté près de Miami. Une piste vite abandonnée, les conditions d'acquisition étant irréprochables.

Laurence Bastien, que certaines mauvaises langues désignent comme la greffière de la fameuse liste noire, se trouve être la meilleure amie de celui qui va précipiter la chute de Bernard Petit[1]. Philippe Lemaître est un administratif de classe A qu'elle a connu au cabinet de Pèch'. Lorsque ce dernier a quitté la police, il a placé son employé de bureau auprès de Jo Masanet, le patron de l'Anas, réputé de gauche et prêt à tout pour plaire. «Péchenard fonctionne par clan, sa phrase fétiche dans la maison, c'est : "Lui, il est peut-être bien, mais je ne le connais pas." C'est le boy-scout qui veut que ses collaborateurs soient aussi des boy-scouts», explique un commissaire de PJ[2].

Isolé sur une terre hostile, tel est le sort du soldat de Valls. Petit, baptisé «Jack Bauer», du nom du héros de la série *24 heures chrono*, prêt à tout pour arriver à

---

1. Lire le chapitre «Les carottes sont cuites!», p. 91.
2. Entretien du 25 avril 2012.

ses fins, a bien un allié dans la place : René Bailly, le directeur du renseignement de la PP. C'est avec lui que dans son précédent poste à Nanterre, il a monté des «coups». Mais ici, au 36, il doit pouvoir compter sur son propre réseau d'infos. D'autant qu'en interne, les murs ont des oreilles qui, en l'occurrence, semblent être celles de Pèch'.

De Nanterre, il fait venir son chef de cab'. Mais celui que les poulets surnomment méchamment «Gollum», en référence à la créature de Tolkien esclave de l'anneau du pouvoir, est vite pris en grippe par tout le 36. Richard Atlan n'a pas facilité les choses, en mettant un soin particulier à choisir sa voiture de fonction ou l'écran plasma de son bureau. Simple commandant, il tutoie d'emblée les commissaires. Une faute de goût dans un monde – parfois – policé. L'un d'entre eux le lui fait d'ailleurs payer en répondant, chaque fois, à la familière salutation : «Mais vous êtes qui, monsieur?» Un comique de répétition qui met en joie tout le Quai des Orfèvres.

Petit ne peut pas compter sur la sous-direction des Affaires économiques et financières (AEF). Ses sept brigades de lutte contre la criminalité économique, dont la célèbre brigade financière, restent «tenues» en sous-main par Frédéric Péchenard. En septembre 2014, quand celui-ci devient le directeur de campagne de Nicolas Sarkozy pour la présidence de l'UMP, le grand flic rend d'ailleurs visite au numéro deux des AEF pour le prévenir : «La droite va repasser...»

Comme tout patron de la PJ qui se respecte, Petit veut son «canal off». À peine arrivé, il aurait demandé au chef de la Crim' s'il avait quelqu'un pour faire des

fadettes en toute discrétion. Une demande aussitôt ébrui-
tée. Il n'y a guère que Christophe Molmy, le «taulier»
de la BRI, l'ancien Antigang, qui se montre conciliant.
Tous deux partagent le même ennemi : Bernard Squarcini.
Avant d'être nommé par Nicolas Sarkozy directeur de
la DCRI, le Squale, patron des RG, avait ferraillé dur
avec le mentor de Molmy, le grand manitou de l'antiterrorisme d'alors Roger Marion. Une proximité qui avait
d'ailleurs valu au jeune commissaire Molmy d'être
débarqué du prestigieux OCRB, l'Office central de
répression du banditisme dès le retour de Sarkozy à
Beauvau en 2005. «Molmy disait toujours oui à Petit,
affirme un commandant[1] qui sert au 36 depuis des
années. Des journalistes ont été filochés par la BRI à la
demande de Gollum. L'objectif était de connaître leurs
sources. La mentalité chez eux c'est : "Si le chef
demande, je ne peux pas refuser."»

De la poudre en fumée

Afin de prendre le contrôle de la boutique, Jack
Bauer se donne six à huit mois. Et il a un plan.
Dupliquer le service de renseignement criminel dont il
avait fait une arme de guerre lorsqu'il était à Nanterre.
Le Sirasco était alors dirigé par un de ses très proches,
le commissaire Dimitri Zoulas, surnommé «le Hibou»
du fait de sa présence au bureau à des heures plus
nocturnes que diurnes. Pour monter au 36 cette cellule
rens' d'une dizaine de personnes, Petit recrute même à

---

1. Entretien du 25 avril 2012.

la DGSE. Avec, en appui opérationnel, des hommes fiables qu'il dissémine dans différents services de la PJ sous la casquette de «documentaliste». Un essaimage bloqué net par le patron de la brigade des Stups d'alors. Il faut dire que le commissaire Thierry Huguet ne peut pas sentir Bernard Petit. Une haine nourrie par la rivalité légendaire entre la brigade des stups (BSP) de la PP qu'il dirige et l'Office central pour la répression du trafic illicite des stupéfiants (OCRTIS), longtemps piloté par un fidèle de Petit[1]. Quand Bernard Petit appelle comme numéro deux à ses côtés le responsable de la PJ de Versailles, Philippe Bugeaud, Huguet saisit l'occasion inespérée de s'exfiltrer, en visant sa place à Versailles. Las, à cause d'une fausse manœuvre sur l'imprimante, il plombe sa candidature en l'éventant prématurément. «À l'annonce de l'arrivée de Petit, beaucoup ont prévenu Huguet : "Fais tes valises...", sans imaginer que c'est Petit qui partirait le premier et que Huguet sablerait le champagne», se rappelle un officier de la BSP[2].

Huguet aura pourtant senti le vent du boulet. Dans la nuit du 24 juillet 2014, cinquante-deux kilos de cocaïne saisis par son service sont dérobés dans la salle des scellés. Le scandale est sans précédent au 36. Huguet est accusé de ne pas tenir sa boutique. «Quand on a découvert qu'il manquait les sacs de coke, on a tout de suite posé la question : "Quelqu'un les a bougés?" Non... Avant de prévenir le préfet et le procureur, on s'est assurés que personne n'était en train de nous jouer un

---

1. Lire le chapitre «Franchissement de ligne blanche», p. 179.
2. Entretien du 4 février 2015.

tour dans le genre farce pas drôle, raconte un officier des Stups. Puis Huguet a filé voir Petit pour lui dire : "On a perdu cinquante-deux kilos de coke." Mis au courant, le préfet a lâché : "C'est une affaire police." En clair : c'est pour votre pomme ! » Le chef des Stups sait ce qu'il lui reste à faire : régler lui-même le problème et fissa.

Lorsque les enquêteurs de la police des polices sont arrivés pour la perquisition, le chien spécialisé dans la recherche de drogues a manqué de faire une syncope dans la pièce des scellés où il restait huit kilos d'herbe... Et, raconte un des présents[1], « lorsque les bœuf-carottes ont inspecté les faux plafonds, on était tous anxieux... Heureusement, ils n'ont trouvé que deux paquets de shit planqués là et oubliés par deux commissaires partis depuis à la retraite ! ». Les enquêteurs de l'IGPN identifient rapidement un suspect grâce à la vidéosurveillance. La silhouette sportive et élancée portant un gros sac est celle du brigadier Jonathan G. Aux yeux de la police des polices, un tas d'indices accablent ce flic des Stups, comme par exemple cet étrange réflexe attrapé par la caméra de surveillance, avoir éteint son portable en sortant du 36 comme s'il voulait échapper à tout risque de géolocalisation.

Mais étrangement, dans le temple de la rationalité que devrait être le 36, l'imagination prend rapidement le pouvoir. Très vite, certains croient voir derrière ce rocambolesque fric-frac une machination ourdie contre Thierry Huguet. Un « chantier », comme on dit dans le jargon policier, qui aurait foiré à cause d'un événement

---

1. Entretien du 19 janvier 2015.

imprévu. Le 31 juillet 2014, un jeune lieutenant qui ter-
mine son stage à la brigade des stups demande à voir la
salle des scellés où sont entreposés les cinquante-deux
kilos de coke. «Les images des caméras de surveillance
s'effacent automatiquement tous les quinze jours, il
s'en est fallu de peu qu'on ne puisse pas remonter au
principal suspect. Une semaine de plus et c'était cuit»,
confie l'officier des Stups. Pour ajouter au mystère,
alors que Jonathan G. n'a jamais avoué et que la drogue
n'a jamais été retrouvée, les bœuf-carottes pensent avoir
identifié celui qui a aidé à écouler les cinquante-deux
kilos de coke : un indic du brigadier des Stups, mais
aussi de... l'OCRTIS, leur frère ennemi.

Bilan : non seulement Thierry Huguet ne va pas
sauter à cause de cette histoire, mais c'est Bernard Petit
qui perdra son poste l'année suivante[1]. Un mois avant le
limogeage du patron du 36, Huguet, dont l'épouse
exerce à l'IGPN, annonce à son équipe lors d'un pot de
début d'année : «L'année sera pleine de bonnes sur-
prises!» Belle intuition.

Réveiller la paranoïa

Avant d'être mis à pied au bout de seulement treize
mois passés au 36, Jack Bauer s'est pris encore une
autre tuile. En avril 2014, une touriste canadienne
accuse des policiers de la BRI de l'avoir violée dans les
locaux du Quai des Orfèvres après une soirée arrosée.
Bernard Petit est alors en congés, cloué par un mal de

---

1. Lire le chapitre «Les carottes sont cuites!», p. 91.

dos lorsque le téléphone sonne à son domicile. Au bout
du fil, le préfet de police de Paris :

— Vous êtes sans doute au courant ?

— Non, je ne suis pas au courant. De quoi s'agit-il,
monsieur le préfet ?

— J'avais dit à Herlem de vous appeler ! s'énerve
Bernard Boucault.

Jean-Jacques Herlem, alors numéro deux du 36, a cru
pouvoir gérer l'affaire en solo. Pendant huit heures, il
ne rend pas compte. La BRI, c'est son ancienne boutique et il croit pouvoir laver le linge sale en famille.
Furieux, le préfet réclame des têtes. Celle de Herlem,
mais aussi celles des numéros un et deux de la BRI. Les
choses s'aggravent lorsque le procureur de Paris, plutôt
enclin à calmer le jeu, découvre que les policiers ont
maquillé la scène de crime. Manque notamment un des
bas de la victime. « En agissant dans son coin, seul, en
voulant gagner du temps, Herlem a aggravé les choses »,
regrette Petit. Cinq mois plus tard, le numéro deux du
36, surnommé « 12 h 30-16 heures » pour ses horaires
de travail décalé, est expédié au cimetière des éléphants.

Bernard Petit ne l'a pas retenu. Depuis son arrivée,
il cherchait à remplacer Herlem par le patron de la PJ
de Versailles. C'est maintenant chose faite. Philippe
Bugeaud, il est vrai, a le profil idéal : il fait le job sans
éclats et ne rencontre aucune hostilité à gauche comme
à droite. Il a même servi de sparring-partner de Sarko
lors de ses laborieuses séances de footing.

Mais l'affaire du viol du 36 ne se circonscrit pas à un
changement de tête. Marie-France Monéger, la patronne
de l'IGPN, va manifestement s'y employer. « Elle a
chargé comme un rhinocéros et a sorti le grand jeu, se

143

souvient un gradé[1]. À l'exclusion des commissaires, tous les policiers de permanence ce soir-là au 36 ont dû se soumettre à un prélèvement ADN. » Une humiliation d'autant plus cuisante que l'enquête se soldera par un non-lieu général. Il n'en fallait pas plus pour réveiller la paranoïa. Derrière le zèle de l'IGPN, n'y aurait-il pas un plan secret de Cazeneuve : fondre le 36 dans la Direction centrale de la police judiciaire directement rattachée à Beauvau et ainsi reprendre la main sur une PJ parisienne jugée trop autonome ? Il est vrai que le 36 a toujours été une maison rebelle. «L'acte fondateur, décrypte un péjiste parisien, c'est Richard Durn.» Le 28 mars 2012, le tueur du conseil municipal de Nanterre, en garde à vue dans les locaux de la brigade criminelle, alors dirigée par Péchenard, se défenestre. Le ministre de l'Intérieur Daniel Vaillant parle de «graves dysfonctionnements» et promet des sanctions. Tout le 36 descend dans la cour : une démonstration de force face à laquelle l'Intérieur cède. Place Beauvau comme sur l'île de la Cité, personne n'a oublié... Il n'est même pas sûr qu'en 2017, le déménagement des poulets de la PJPP dans les locaux du nouveau palais de justice aux Batignolles efface la cicatrice.

La malédiction du 36 ?

Lorsqu'il arrive au débotté au Quai des Orfèvres, ce n'est pas par gaieté de cœur. Christian Sainte sait le poste à risques : ses deux prédécesseurs viennent d'en

---

1. Entretien du 14 août 2014.

faire la douloureuse expérience. Comme Petit, lui aussi est un «produit d'importation», qui a fait ses armes en Corse et à la PJ de Marseille. Heureusement, il a l'oreille du préfet de police Cadot qu'il a côtoyé sur le Vieux-Port. Pour autant, il lui faut contrer l'influence de Jacques Meric, le patron de la police en tenue (DSPAP).

De mémoire de flics, les patrons du 36 et la DSPAP se sont toujours fait la guerre. Meric, qui revient travailler le soir après dîner, a une réputation de moine-soldat qui n'hésite jamais à croiser le fer. Lorsque, à l'automne 2015, l'épouse de Christian Sainte dépose dans un commissariat parisien une main courante mettant en cause son mari[1]. Aussitôt averti, Meric s'empresse d'en aviser le préfet Cadot. Lequel convoque illico Sainte pour une remontée de bretelles. Des témoins se souviennent d'avoir vu sortir de l'entretien le patron de la PJ parisienne «blanc comme un linge».

Sans doute a-t-il fini par croire lui aussi à la malédiction du 36...

Comme si le 36 s'était arrêté au temps des Borgia : trahisons, empoisonnements et toute la panoplie des coups tordus. On finit par se demander si les enjeux de pouvoir entre clans pèsent plus que la sécurité des Franciliens. Une fois élus, les socialistes, qui promettaient de supprimer la préfecture de police, cet État dans l'État, n'auront fait que la renforcer.

---

1. Information confirmée par Christian Sainte, peu de temps après le dépôt de la main courante.

8

Opération Minotaure

La moto file dans les rues de Paris désertes en cette heure matinale. Son passager est nerveux. Régulièrement, il jette des coups d'œil à droite et à gauche, derrière aussi pour s'assurer qu'il n'est pas «filoché». Certain enfin que personne ne l'a suivi, il fait stopper sa moto, s'arrêtant par réflexe professionnel à une trentaine de mètres du café où il a rendez-vous. Côté gauche, il a une arme planquée sous le blouson au cas où. À la main droite, une sacoche. À l'intérieur, il rejoint la table où l'attend un homme à la mise élégante, fines lunettes cerclées et cheveux poivre et sel. «Comment tu vas?» La poignée de main est chaleureuse, mais impatiente. De sa mystérieuse sacoche, le patron du service de renseignement de la préfecture de police sort aussitôt un dossier. Dans le jeu de photos qui s'étale maintenant sur la table, un sexagénaire en fauteuil roulant, photographié au téléobjectif, retient l'attention du numéro trois de la PJ, en charge de la lutte contre le crime organisé, Bernard Petit.

Quelques jours plus tôt, dans son bureau à Beauvau, Manuel Valls a réuni pour une séance de travail les huiles de la police. Alors que la réunion s'achève et que les directeurs se retirent, le ministre interpelle Bernard Petit : «J'aimerais que vous restiez», ordonne-t-il, tandis que Christian Lothion, le patron de la PJ, quitte la pièce en jetant un regard lourd sur son numéro trois retenu par le ministre. Loin des oreilles indiscrètes, Valls poursuit : «Je souhaite vous confier un dossier, je veux que vous l'évaluiez et me disiez si ça tient la route. Si la personne est accrochée, allez-y, cognez. Je ne souhaite pas que vous évoquiez cette affaire avec votre hiérarchie. Je veux que vous n'en parliez à personne.» Puis, devant l'air interdit de Bernard Petit, Valls glisse, mystérieux : «Quelqu'un va vous contacter.» Dans la semaine, comme annoncé, la sonnerie du téléphone retentit dans le bureau de Petit. Au bout du fil, René Bailly, le chef du renseignement de la PP :

— Je voudrais te voir pour un dossier.

— Ah, c'est donc toi...

Le roi des jeux

Printemps 2013. L'opération Minotaure vient de débuter. Faire tomber Michel Tomi, celui que la Place Beauvau désigne comme «le parrain des parrains». Une mission pilotée en direct par le ministre de l'Intérieur. Faire tomber Tomi pour Manuel Valls est décisif : l'ambitieux cherche à marquer son passage à Beauvau. Il veut réussir là où d'autres prestigieux prédécesseurs ont échoué : en finir avec le crime organisé d'origine corse. Et puis, Valls le sait parfaitement pour avoir éprouvé les affaires corses – notamment l'affaire des paillottes et le départ de Chevènement de Beauvau – lorsqu'il

148

travaillait à Matignon, sous les ordres de Jospin : ces réseaux souvent mènent à la droite. Voire à des financements illégaux de partis politiques via l'Afrique...

Chez les flics comme chez les voyous, Tomi est un véritable mythe. En deux décennies, ce Corse né au sud de l'île, dans le Taravo, « la vallée des croupiers », a bâti un empire en Afrique de l'Ouest, dans les casinos, les machines à sous, l'hôtellerie ou l'immobilier. Le Corso-Africain possède aussi sa propre compagnie aérienne. Dans son fief de Libreville au Gabon, comme dans son ryad de Marrakech, toujours entouré de ses gardes du corps, Michel Tomi, cloué dans un fauteuil roulant par une sclérose en plaques, reçoit ministres et chefs d'État africains. Et quand il ne se déplace pas dans l'un de ses Falcone 50, le roi des jeux en Afrique sillonne la Méditerranée sur son puissant yacht de trente-trois mètres baptisé *Grâce à Dieu*.

Une cellule secrète se met en place, constituée par des fonctionnaires membres de la Sous-direction chargée de la lutte contre le crime organisé dévoués à leur chef, Bernard Petit. Le fameux dossier que lui a remis René Bailly contient des notes relatant des mois de surveillance par la Direction du renseignement de la préfecture de police. On y apprend que « le parrain » tient table ouverte dans ses trois cantines fétiches, La Terrasse, une brasserie du quartier de La Défense, la Maison de la Truffe, rue Marbeuf, dans le 8ᵉ arrondissement et L'Atelier de Joël Robuchon sur les Champs-Élysées, où Tomi réserve la veille pour privatiser la salle située en sous-sol. On y découvre qu'il a ses habitudes dans des palaces entre le parc Monceau et l'Étoile et dans d'autres établissements plus discrets.

Tous les déplacements de Tomi à Paris ont été photographiés, ses contacts identifiés. Afin de cartographier son entourage, les policiers ont notamment utilisé un IMSI-catcher. Pour que rien ne filtre, la mission a été confiée à une quinzaine d'agents triés sur le volet, tous piochés dans la Sous-direction de la lutte contre le terrorisme. La règle est limpide : «Pas vu, pas pris.» Surtout quand les agents de la DRPP se déplacent en Suisse, pour enquêter sur la cible, au nez et à la barbe de leurs collègues helvètes. Le dernier des parrains français possède trois sociétés en Helvétie et a ses habitudes à La Réserve, un cinq étoiles au bord du lac Léman. Et pour les enquêtes plus lointaines, Bernard Petit peut compter sur les réseaux d'un ami bien placé à la DGSE, la Direction du renseignement extérieur.

Pasqua connection

En trente ans de PJ, ce grand flic spécialisé dans la lutte contre la criminalité organisée n'a jamais eu à affronter un adversaire aussi puissant. Chaque jour, Bernard Petit découvre l'étendue de la surface financière de Michel Tomi, dont le chiffre d'affaires déclaré dépasse les 600 millions d'euros. Un empire tentaculaire irrigué par les réseaux Pasqua, qui plonge au cœur de l'appareil d'État. «Mon père était ami avec son père. Notre amitié de trente ans ne s'est jamais démentie», nous confiera un jour le roi des casinos. Lorsqu'il s'installe à la Place Beauvau pour la première fois, Pasqua s'empresse d'octroyer à l'homme d'affaires l'autorisation d'exploiter le casino d'Annemasse en Haute-Savoie.

La petite monnaie de sa pièce... Cinq ans plus tôt, Michel Tomi a financé illégalement le RPF, le micro-parti de Môssieur Charles pour la campagne des élections européennes.

C'est donc dans un climat paranoïaque que les policiers travaillent sur Michel Tomi. Bernard Petit va jusqu'à faire «dépoussiérer» ses bureaux à Nanterre, sa voiture aussi est auscultée pour s'assurer qu'aucun micro ou balise GPS n'a été posé en douce. Le ménage s'effectue de nuit, c'est un de ses proches qui s'en charge, le patron du Service interministériel d'assistance technique, le SIAT, l'une des unités les plus secrètes de la PJ dont la mission est d'infiltrer le crime organisé.

Le numéro trois de la PJ se méfie notamment de son chef. Christian Lothion est réputé proche de Bernard Squarcini. Ce dernier, alors patron de la DCRI, est une vieille connaissance de Michel Tomi, tous deux Pasquaboys. Dans une note blanche adressée au ministre, Bernard Petit évoque un véritable noyautage du milieu policier par des affidés de Squarcini au profit de Tomi. En outre, le Squale n'a-t-il pas fait venir, dès la création en juillet 2008 de la DCRI, le demi-frère de Michel Tomi ? Un commissaire d'une quarantaine d'années qui prend la tête de l'une des divisions sensibles de la maison, celle en charge des «opérations spéciales»... Les policiers qui filochent Michel Tomi à Paris ont la surprise d'apercevoir à plusieurs reprises Squarcini monter dans la voiture de ce dernier. Informé qu'il s'est fait prendre au téléobjectif en si bonne compagnie, le Squale désamorce en répétant la même histoire dès qu'il croise un flic de la PJ : «Un jour, je me baladais dans

Paris, une voiture a stoppé, s'est arrêtée à côté de moi. C'était Tomi. »

Autre hasard : le 3 juin 2013, alors que le soleil inonde la capitale, Squarcini est attendu par l'homme d'affaires pour déjeuner. Rendez-vous a été pris chez Ly, un restaurant asiatique chic de Neuilly, avenue Charles-de-Gaulle. Le patron du renseignement parisien, René Bailly, est en planque non loin, à la terrasse d'une brasserie. En même temps qu'il avale une salade de poulet (*sic* !), il coordonne la surveillance depuis son portable. Ses hommes sont partout. À l'intérieur de chez Ly, comme simples convives mais aussi en planque devant le restaurant, à l'intérieur d'un « sous-marin », un véhicule banalisé équipé pour réaliser des photographies discrètes. Lorsque Tomi et ses gardes du corps arrivent, un invité est déjà à table : Charles Pasqua ! Bailly jubile. Mais déchante aussitôt. Il apprend que Squarcini vient de se faire porter pâle : un empêchement de dernière minute. Malchance encore, un camion de livraison s'est interposé entre le soum' et le restaurant. Les photos sont impossibles. « C'est dommage, regrette Bailly. J'aurais bien aimé les montrer au ministre. » Valls en verra d'autres. Car pendant près d'un an, les surveillances s'enchaînent, un travail de renseignement totalement off, à la fois patient et rigoureux, fait de longues filoches à travers le pays, de planques discrètes dans des palaces et même d'envoyés spéciaux à l'étranger...

Une fois la récolte suffisante, vient le temps d'en rendre compte à la justice. Fin juillet 2013, Bernard Petit rédige un rapport sur la galaxie Tomi. Il le remet au parquet de Paris. Celui-ci a la réaction attendue :

impressionné par la quantité et la précision des informations, il décide de confier sans plus attendre l'affaire à un juge d'instruction. Petit s'est empressé d'en dessiner le portrait-robot. Ce sera Serge Tournaire. Non pas tant parce que le magistrat additionne les dossiers contre Nicolas Sarkozy, mais parce qu'il a déjà porté l'estocade contre un cercle de jeux parisien sur lequel plane l'ombre de la mafia corse, le Wagram. Et parce qu'il a travaillé à Marseille, et connaît la chanson en matière de crim' org'.

La veille de la désignation officielle du magistrat enquêteur, une réunion secrète se tient boulevard des Italiens, à Paris, au pôle financier. Bernard Petit y retrouve le juge Serge Tournaire et un de ses binômes, également juge d'instruction, Hervé Robert. Deux heures durant, le policier affranchit les magistrats sur l'opération Minotaure. Ensemble ils fixent la stratégie : cogner sur l'aspect fiscal. Puis ils établissent un calendrier, les premières convocations seront envoyées à la fin de l'année. L'idée est d'accrocher Michel Tomi sur la façon dont il blanchirait une partie de l'argent gagné en Afrique. Une information judiciaire contre le « parrain des parrains » est donc ouverte pour blanchiment aggravé en bande organisée, abus de biens sociaux et faux en écriture privée.

L'Afrique, c'est chic

Le juge est d'autant plus motivé que, lorsqu'il enquêtait sur la reprise par un clan corse du cercle Wagram, il n'avait pas réussi à attraper Michel Tomi dans ses filets.

153

Celui-ci subvenait pourtant aux besoins de Sandra Germani, épouse de Richard Casanova, figure mythique de la Brise de mer. C'est le frère de Sandra, Jean-Luc, qui, le 18 janvier 2011, mène avec ses lieutenants une opération coup de poing pour reprendre le Wagram à un clan corse adverse. Une «descente» musclée qui se déroule devant les téléobjectifs des hommes de René Bailly. Ces surveillances seront à l'époque «blanchies», c'est-à-dire judiciarisées afin d'étoffer le dossier Wagram que le juge Tournaire instruit, avec l'aide, déjà, de Bernard Petit. Sandra, qui aurait inspiré l'héroïne de la série culte de Canal Plus *Mafiosa*, est, depuis la mort de Richard, sous la protection de Tomi. «Tonton», comme elle le nomme affectueusement, prend en charge ses frais de bouche et le loyer de l'appartement parisien de deux cent trente mètres carrés près des Invalides qu'elle occupe avec ses deux enfants. Sept mille euros virés chaque mois par le PMU du Gabon, dont la directrice n'est autre que la fille aînée de Michel Tomi. Interrogé par nos soins, le parrain[1] explique : «J'ai toujours été pour la distribution des richesses. Je distribue 10 ou 20 % de ce que je gagne à ceux qui m'entourent.» Recherché par la police après son «putsch» raté au Wagram, Jean-Luc Germani, par ailleurs mis en examen pour meurtre en bande organisée, sera un temps localisé par la DGSE au Cameroun, sur les terres de Tomi.

Au fil de l'enquête, apparaissent de manière récurrente dans l'album photo des enquêteurs de nouveaux personnages. Et non des moindres. Tel que Ibrahim

---

1. Entretien du 12 juin 2014.

Boubacar Keïta, l'actuel président du Mali. Très tôt en 2012, ce chef d'État africain est immortalisé au sortir de la Maison de la Truffe à Paris, serrant dans ses bras Michel Tomi. Le roi des casinos a pris soin de son ami qu'il a contribué à installer à la tête du Mali, mettant à disposition ses avions pour sa campagne. Lors des venues d'IBK à Paris, il lui paie ses séjours dans une suite à 30 000 euros par jour au Royal Monceau et s'occupe de sa luxueuse garde-robe, ainsi que de celle de son épouse. Comme Tomi l'expliquera plus tard sur procès-verbal, au cours de ses auditions par les magistrats français, c'est parce qu'il se «préoccupe de son look et de sa santé, alors que lui n'y pense pas». Et de bien préciser : «Je n'ai pas besoin d'acheter un costume au Président pour faire une affaire au Mali.»

En décembre 2013, en marge du sommet de l'Élysée pour la paix et la sécurité en Afrique, IBK grimpe dans un jet pour se rendre à la clinique de Marseille où son ami corse a ses habitudes. Lorsque nous interrogerons Michel Tomi sur cette prise en charge, il raconte avec malice : «Ça m'arrive souvent. IBK, je le connais depuis vingt ans, pour moi, c'est un frère. Quand il est venu en France pour le sommet franco-africain, il avait besoin de faire des examens en cardiologie, alors je lui ai envoyé mon avion pour qu'il descende à Marseille dans la clinique qui me soigne. On a voyagé avec deux policiers français et, à l'arrivée, le GIPN[1] nous a escortés.» Avec gyrophares et deux-tons...

Subitement, le 28 mars 2014, le puzzle secrètement et patiemment constitué se casse. Quelques jours après

---

1. Le Groupement d'intervention de la police nationale.

l'ouverture d'un supplétif pour «corruption d'agent public étranger», *Le Monde* publie un article qui raconte par le menu l'existence d'une enquête sur Tomi mais aussi les liens entre ce dernier et IBK. «Lorsque est sorti le papier, se souvient Bernard Petit[1], j'ai compris que je n'y arriverais pas, que quelque chose me dépassait, qu'il y avait une raison d'État... Une semaine avant, les deux journalistes étaient venus me voir, ils connaissaient le contenu de la note que j'avais transmise à l'Élysée.» René Bailly partage cet avis. Comme son collègue de PJ, le patron du rens' parisien remet une note circonstanciée à Manuel Valls. C'était le 22 mars 2014 à Beauvau. Moins d'une semaine plus tard, le contenu des deux notes font la une du quotidien du soir. «Si quelqu'un avait voulu plomber l'enquête, il n'aurait pas fait mieux, se désole un magistrat[2]. C'est forcément une personne informée et haut placée qui a filé les infos.» À peine son nom apparaît-il dans le journal que ceux qui étaient en affaires avec Tomi coupent tout contact. «Il a fallu rebecqueter les lignes téléphoniques les unes après les autres, raconte un enquêteur. Ce qui a demandé un mois de plus. Sur le volet "corruption d'agent public étranger" au Mali, il nous manquait encore beaucoup d'éléments, et sur le Gabon, rien n'était assez avancé pour être judiciarisé. On a été obligés de taper sur une toute petite partie du dossier.» Il a fallu également gérer la motivation des policiers chargés de l'enquête. «Certains avaient le sentiment que

---

1. Entretien du 17 juillet 2016.
2. Entretien du 11 juin 2014.

leur travail était bon à jeter à la poubelle. Ils se sont sentis trahis, d'autant que Tomi se payait leur tête ouvertement sur les écoutes. La suspicion s'est installée comme un poison, y compris vis-à-vis de la hiérarchie. Dès lors, tout a été plus difficile. »

Tir de barrage au Château

C'est à l'Élysée que la fin de la partie aurait été décidée : pas touche à IBK. Dans la guerre que mène la France contre Al-Qaida au Maghreb, le Mali est une pièce maîtresse. Pour le Château, il serait inconcevable qu'un allié aussi précieux pour les troupes françaises de l'opération Barkhane déployées au Sahel se fasse enquiquiner par la justice. Pour les policiers comme pour les magistrats chargés de filer Tomi, le doute n'est pas permis. Les notes qu'ils ont adressées à Beauvau ont échoué de l'autre côté de la rue. Ce scénario d'une fuite venant de l'Élysée s'est crédibilisé depuis la publication de « *Un président ne devrait pas dire ça* »...[1]. Les deux auteurs de ce livre de confessions explosives avec François Hollande sont les mêmes journalistes qui ont signé dans *Le Monde* l'article sur Michel Tomi.

Leur papier sur le parrain des parrains a été un gros motif de contrariété pour Manuel Valls. Non seulement l'opération Minotaure qu'il a initiée a du plomb dans l'aile, mais ses ambitions africaines s'effondrent, lui qui comptait sur son sherpa subsaharien Ibrahima Diawadoh N'Jim pour lui ouvrir les portes de la région.

---

1. *Op. cit.*

Le «marabout de Valls», comme certains l'appellent, est un conseiller de l'ombre qui n'apparaissait pas sur l'organigramme de Matignon et refusait tout contact avec les journalistes... jusqu'en mai 2017. Ce Français d'origine mauritanienne encarté au PS a connu Valls à Évry où il a dirigé sa campagne victorieuse pour la conquête de la mairie en 2001. Il est l'un de ses témoins de mariage avec la violoniste Anne Gravoin. Il est également l'initiateur de l'élu aux arcanes tortueuses de la politique africaine. Dans son carnet d'adresses étoffé figurent en bonne place IBK, tout comme le directeur de cabinet du président du Gabon, Ali Bongo. De là à penser que Tomi aurait pu contrarier l'influence de Diawadoh N'Jim sur le chef d'État malien et sur le dir' cab' du président du Gabon qui, signe d'allégeance, appelle Michel Tomi «Papa»...

Le Gabon reste la boîte à secrets des politiques français. Dans son livre, *La République des mallettes*[1], Pierre Péan en a soulevé le couvercle. L'avocat Robert Bourgi, éminence grise de la Françafrique, y raconte notamment les allers-retours qu'il dit avoir faits entre Libreville et Paris pour convoyer de l'argent.

Fin de partie

Finalement, le 18 juin 2014, Michel Tomi est arrêté à Paris, ainsi qu'une quinzaine de personnes dans toute la France. L'opération Minotaure vient de s'achever. Elle

---

1. Fayard, 2011.

aura mobilisé au sein de la PJ jusqu'à une quarantaine de policiers. Et un groupe d'une dizaine de fonctionnaires du renseignement. Au sortir de trois jours de garde à vue, le parrain des parrains est mis en examen pour dix-sept délits financiers, dont «corruption d'agents publics étrangers» et «blanchiment de fraude fiscale». Les juges lui reprochent d'avoir corrompu plusieurs dignitaires africains qui, en échange, l'auraient laissé faire fructifier son empire en paix. Il est notamment question au Gabon de la passation d'un marché pour les uniformes de l'armée, et au Mali des conditions d'achat pour 36 millions de dollars du Boeing présidentiel d'IBK et d'un projet d'exploitation d'une mine d'or dans le pays. Comme certains enquêteurs le redoutaient, les investigations vont faire long feu sur le volet international.

Il est vrai que Tomi joue avec un coup d'avance, comme s'en sont vite rendu compte les policiers. Quelques mois avant que la justice ne soit officiellement saisie, «Tomi l'Africain» fait appeler un commandant du «groupe corse» qui travaille sur lui : «On sait que vous êtes sur nous, voyons-nous.» Après avoir obtenu l'accord de sa hiérarchie, le commandant en question va au contact. «Tomi l'avait choisi comme interlocuteur pour nous faire passer des messages, et pour nous aussi, c'était un canal de transmission, nous confiera par la suite un de ses collègues[1]. Un jour, le commandant signale à Tomi : "Germani pose un vrai problème." Réponse : "Je pense que ça va s'arrêter." Effectivement.»

---

1. Entretien du 7 mars 2016.

Les hommes du renseignement de la préfecture de police qui planquent près de la porte Maillot, un quartier où Tomi a ses habitudes, auront un coup de chaud lorsqu'ils apercevront le commandant en tête à tête avec le parrain. Ils sont alors persuadés que leur collègue s'est fait retourner. «En fait, il a été loyal jusqu'au bout, mais Tomi ne l'a pas tamponné au hasard. Il l'a choisi parce qu'il sait qu'il exerce une fascination sur lui. On a perçu le changement à son vocabulaire, il ne disait plus "le parrain" mais "le patriarche". Cette capacité à scanner les gens, c'est la force de Tomi, il a une incroyable intuition.» Le parrain s'est visiblement pris d'affection pour le commandant de police, au point de lui raconter en détail le milieu corse. Une relation privilégiée dont Bernard Squarcini a même pris un temps ombrage. «Il était jaloux comme une jeune fille», se souvient encore notre enquêteur.

Plus de deux ans après le coup de filet, le Corso-Africain contre-attaque. Arguant que la justice française est «incompétente» sur le volet international et que les magistrats ne peuvent retranscrire les écoutes de chefs d'État étrangers protégés par leur immunité, ses avocats demandent carrément, en octobre 2016, l'annulation de l'instruction

Assurément, Michel Tomi ne se laissera pas terrasser comme le Minotaure. Six jours avant son arrestation, nous l'avions longuement rencontré sur une île quelque part en Méditerranée. À la question : «Il ne vous arrive jamais d'avoir peur[1]?», il avait répondu : «Jamais. Si vous avez peur, qu'est-ce qui peut vous enlever la peur?

---

1. *Le Canard enchaîné*, 18 juin 2014 et *Le Point*, 19 juin 2014.

Ceux qui ont fait des choses mal dans leur vie, ceux-là peut-être ont peur, mais quand vous n'avez rien à vous reprocher... »

Lorsque Bernard Petit devenu patron du 36 est perquisitionné par la police des polices et démis de ses fonctions, Michel Tomi envoie aussitôt un texto depuis le Gabon : « Petit... c'est la ligue anti-Tomi qui tombe, bientôt Bauer... »

9

La maison des secrets

«C'est quoi, ce bordel? Vous arrêtez de fumer! C'est moi qui commande ici!» La pièce en sous-sol de ce petit pavillon de banlieue parisienne pue le shit à plein nez. Les trois hackers regardent, interloqués, ce «vieux» qui débarque pour la première fois dans leur cave. Le commissaire de la Direction centrale du renseignement intérieur (DCRI) n'a pas l'air commode. L'odeur de «beuh» qui empeste l'a manifestement mis hors de lui. S'ensuit une remontée de bretelles en règle.

Cela fait trois ans maintenant que le trio de geeks travaille dans le plus grand secret au service de l'État et jamais ils ne se sont fait engueuler de la sorte. Cette semaine-là, leur officier traitant habituel est en vacances. Pas de chance : c'est son supérieur hiérarchique qui a pris sa place. À peine le grincheux a-t-il tourné les talons que les jeunes pirates informatiques, estimant qu'ils ont assez donné pour le drapeau tricolore, prennent leurs puces et leurs souris! Basta! Pendant deux semaines, la DCRI restera sans nouvelles de «ses» hackers. Vent de panique au huitième étage à la direction de Levallois : un des secrets les mieux gardés du renseignement intérieur français court dans la nature. Et s'il venait aux trois garnements de la République l'idée d'aller s'épancher auprès des journalistes ? Les Français découvriraient alors que l'État a recruté des pirates informatiques pour, hors de tout contrôle légal, espionner dans n'importe quel ordinateur ou smartphone. Miraculeusement, les fugueurs finissent par rentrer sagement au bercail, leur cave discrète dans un pavillon sans cachet d'une banlieue sans âme de l'Ouest parisien. Qui pourrait imaginer qu'ici se dissimule une salle informatique dernier cri d'où se pilotent des opérations inavouables ?

Lorsqu'en juillet 2007, Bernard Squarcini est placé à la tête de la DST par Nicolas Sarkozy élu trois mois plus tôt, il découvre l'existence de la maison des secrets. Son prédécesseur, le très chiraquien Bousquet de Florian, qui finira préfet exilé dans le Pas-de-Calais, l'affranchit : le contre-espionnage a «embauché» des hackers qui sont logés gratuitement dans un pavillon conspiratif et rémunérés chaque mois en liquide pour remplir des missions off au service de l'État. Ils n'ont pas d'existence légale et ne figurent dans aucun organigramme. Accrochés dans de menues affaires judiciaires, le service les a approchés en leur proposant d'effacer l'ardoise. Utilisée jusqu'alors pour traquer les espions étrangers, la petite cellule clandestine va également travailler pour des intérêts qui n'ont pas forcément à voir avec la seule «raison d'État».

Tous les quinze jours, le rituel se répète. Un scooter Vespa noir équipé d'une caisse métallisée à l'arrière franchit la grille du pavillon «conspiratif», qui voisine une paroisse protestante. À peine garé dans la cour, son conducteur, un quadra à la silhouette ronde, descend les quelques marches qui mènent à la cave sécurisée. Il vient livrer la liste des cibles.

Des puces de combat

Pour aller fouiller à distance de manière illégale dans les entrailles de tel serveur ou tel ordinateur désigné comme objectif, les hackers procèdent à des attaques par rebonds, histoire de brouiller les pistes. Le principe est de prendre la main sur un serveur innocent à partir duquel va être menée l'opération de piratage. C'est ainsi que la Fondation internationale Kadhafi pour la charité et le développement a plusieurs fois été utilisée à son insu, jusqu'à l'écroulement du régime.

La collecte bimensuelle récupérée, l'homme au scooter repart direction Levallois. Tout le temps où le Squale va diriger la DCRI, la sous-division R, installée au dernier étage de l'immeuble en béton et verre, fera son miel de cette récolte non déclarée. Cette sous-division est sortie malgré elle de l'ombre au moment de l'affaire des fadettes. En juillet 2010, elle adresse deux télécopies classées confidentiel-défense, à l'opérateur Orange afin d'identifier les sources d'un journaliste du *Monde* dans le dossier Bettencourt.

Rattachés à la sous-division R, les hackers ont craqué la base de données de l'un des principaux fournisseurs français d'accès à Internet. Les informations personnelles sur des millions de clients se retrouvent dans un immense fichier clandestin entre les mains du renseignement intérieur. Y figurent noms, numéros de téléphone, adresses de mail, de domicile, historique des connexions, moyens de paiement, données de facturation avec le nom de la banque... Une mine de renseignements à exploiter loin des regards de la Commission nationale informatique et liberté, chargée de veiller à la protection des données personnelles.

Les infos aspirées sous le manteau sont parfois revendues aux « cousins » de la DGSE, qui règlent la douloureuse en espèces avec leurs fonds secrets. Lorsque, un jour, les espions du boulevard Mortier arrêtent de payer, c'est le branle-bas de combat. À Levallois, on imagine que la DGSE a mis en place un dispositif sur le répartiteur informatique du pavillon avec lequel elle siphonne les données directement. Une équipe technique est aussitôt dépêchée afin de s'assurer qu'il n'y a pas de branchement clandestin. Résultat de la vérification : RAS. Par précaution, la sécurité des locaux est toutefois relevée d'un cran.

Bernard Squarcini est débarqué de la DCRI dès l'arrivée de François Hollande à l'Élysée. Et les hackers se voient discrètement exfiltrés après avoir été mis au vert en province. Lorsque nous irons sonner à la porte du fameux pavillon, les propriétaires nous expliqueront ne plus avoir de nouvelles des jeunes geeks qui furent leurs locataires des années durant. Pour un maximum de discrétion, les loyers étaient réglés via une société appartenant à un courtier en assurances installé à Marseille.

Pour quelles missions inavouables les hackers ont-ils été utilisés ? Un an avant la défaite de Sarkozy à la présidentielle en 2012, Joël Bouchité[1], dernier patron des

---

1. *L'Espion du Président, op. cit.*

RG devenu conseiller sécurité de l'Élysée, nous confiait à propos de la DCRI qu'une petite cellule presse avait été recréée. « Des mecs chargés de se rancarder sur ce qui se passe dans les journaux, les affaires qui vont sortir, la personnalité des journalistes. Pour cela, comme pour d'autres choses, ils usent de moyens parfaitement illégaux. Leur grand truc, c'est de voler des adresses IP, la carte d'identité des ordinateurs. Ils épient les échanges de mails, les consultations de sites. Ils sont alors au parfum de tout. Si nécessaire, ils doublent en faisant les fadettes. »

En juillet 2010, le site d'information Mediapart sort les enregistrements pirates qui, dans l'affaire Bettencourt, mettent en cause le ministre du Budget et trésorier de l'UMP, Éric Woerth. Quelques semaines plus tard, l'Élysée distille dans les rédactions l'information selon laquelle le principal actionnaire de Mediapart est un évadé fiscal belge, propriétaire d'un restaurant à Paris dans le 6ᵉ arrondissement. Coïncidence ? En 2010, la DCRI, selon plusieurs de ses agents, aurait travaillé sur le financement de Mediapart. « La boîte a effectivement demandé en 2010 un travail sur Mediapart et Plenel, parce qu'ils énervent le Château. Certains ont refusé, mais on a su en interne que d'autres l'avaient fait », nous assure cet officier de la DCRI, qui a pris soin de vérifier que nos téléphones portables étaient bien désactivés avant de nous parler[1].

---

1. *Ibid.*

La pêche au Squale

À l'automne 2010, une épidémie de vols d'ordinateurs s'abat sur les rédactions qui enquêtent sur des affaires sensibles visant la Sarkozie et notamment l'affaire Bettencourt. Pointé du doigt, Squarcini répond : « Je n'ai pas volé d'ordinateurs, je ne m'intéresse pas aux journalistes... » Une affirmation que nous décryptera à l'époque notre contre-espion[1] : « Maintenant, on n'a plus besoin de partir avec l'ordinateur, on siphonne le contenu à distance. Il y a des gens chez nous dans la sous-division R qui font ça très bien. Si la cible ne se connecte jamais sur Internet, ni sur wifi, il faut aller sur place pour faire un double du disque dur. Ça va vite et c'est indolore. » Et l'officier du renseignement de poursuivre : « En revanche, si vous voulez donner un signal, lancer un avertissement, voler l'ordinateur est une façon d'intimider et de faire peur aux sources en leur signifiant que leur contact est ciblé. C'est un travail qui peut être sous-traité, les services ont tous dans leur carnet d'adresses une officine privée prête à bosser pour eux. » Squarcini aura été l'intendant du Château, et il l'assume. Comme il l'a dit lui-même : « Si le Président me demande un jour de refaire la tapisserie du fort de Brégançon, je le ferai[2]. » Depuis, le Squale, reconverti dans le privé, notamment au service de LVMH – le « sponsor » de Nicolas Sarkozy –, a été pris dans les

---

1. *Ibid.*
2. *Ibid.*

filets de la justice. Mis en examen entre autres pour « compromission » et « trafic d'influence ».

La scène se passe à Paris, sous la tour Eiffel, en mai 2012, à quatre jours du second tour de l'élection présidentielle, Bernard Squarcini participe à l'exfiltration de Bachir Saleh, l'argentier de Kadhafi. Les photographies prises ce jour-là et le bornage téléphonique figurent désormais dans le dossier d'instruction du juge Tournaire qui enquête sur les soupçons de financement par la Libye de la campagne de Nicolas Sarkozy.

Ce dossier judiciaire est au cœur de la guerre secrète menée tour à tour par Hollande et Valls pour empoisonner la campagne du patron des LR. C'est ainsi que début novembre 2016, à quelques semaines du premier tour de la primaire de la droite, *Le Monde* dégaine en une trois longs articles sur « les liaisons dangereuses de la Sarkozie », avec en guest stars, Bernard Squarcini et son ami Alexandre Djouhri, qui auront été les deux fils conducteurs des juges pour prouver les injections d'argent libyen. Djouhri, cet ancien caïd devenu apporteur d'affaires de la Sarkozie était d'ailleurs présent ce fameux 3 mai 2012 sous la tour Eiffel. Les magistrats soupçonnent AD d'avoir été le « porteur de valises » entre Paris et Tripoli. Ils suivent ses déplacements en Afrique du Sud auprès de Bachir Saleh pour le dissuader de revenir en France et de se mettre à table. En mai 2013, ils captent ainsi cette conversation avec Squarcini où Djouhri se lâche : « Valls est dans le coup, hein, euh, pour demander... pour dire à Bachir... Je te raconterai, c'est des trous de baise. » Comprendre : dans le clan sarkozyste il ne fait aucun doute que ce n'est pas le

Château mais Valls qui a fourni les munitions aux journalistes.

Les milliers d'heures d'écoute révèlent aux policiers que Squarcini a continué, après son départ de la DCRI, à se comporter en patron du renseignement intérieur. D'ailleurs, ne déclare-t-il pas aux enquêteurs qui l'auditionnent juste avant sa mise en examen : « J'ai changé d'activité, mais j'ai gardé un état d'esprit identique à celui qui m'accompagnait en ma qualité de haut fonctionnaire... » Une chose est sûre, le Squale a toujours ses entrées à Levallois. Il reçoit encore le bulletin interne de la maison ainsi que de nombreuses revues de presse et publications. Il utilise ses hommes restés dans la place pour interroger les fichiers couverts par le secret-défense. Parmi les plus actifs, un ancien policier des RG. Accusé d'avoir échangé à maintes reprises des informations avec son ex-patron, ce brigadier-chef, grand spécialiste des affaires corses, sera envoyé à la retraite d'office après sa mise en examen.

C'est pas du luxe !

Preuve qu'il se sent encore comme chez lui à Levallois, « Nanard » a gardé pendant deux ans et demi son badge d'accès, histoire sans doute d'aller claquer la bise à ses anciennes secrétaires que son successeur Patrick Calvar a gardées. Ce dernier a aussi continué à voir Bernard Squarcini, à dîner avec lui. D'ailleurs, l'actuel directeur du renseignement intérieur, surnommé « le Zébu » en raison de son enfance à Madagascar, n'a-t-il pas dit aux policiers qui, après l'avoir entendu sur les écoutes de Squarcini, l'ont discrètement interrogé sur ses relations avec l'ancien patron de la DCRI : «C'est un ami»? C'est ainsi par «amitié» avec le Squale que le Zébu s'exécute prestement lorsque celui-ci l'appelle en juin 2013 pour faciliter l'obtention de titres de séjour à deux jeunes femmes russes membres de la belle-famille d'Alexandre Djouhri. Quand les policiers veulent en savoir plus sur sa démarche, Squarcini a pour seule réponse : «Affaires réservées», comme si le Squale s'imaginait toujours patron du renseignement intérieur.

Patrick Calvar réapparaît sur les écoutes de Squarcini lorsque celui-ci lui demande d'intervenir en faveur de l'épouse de Bernard Arnault, patron de LVMH. Si Squarcini est aux petits soins pour l'homme le plus riche de France, ce n'est pas par philanthropie. Le groupe de luxe est le plus gros client de Kyrnos Conseil, la société d'intelligence économique montée par le Squale. Le milliardaire est surtout un proche de Nicolas Sarkozy. Il était son témoin de mariage avec Cécilia Ciganer et il a bien sûr fêté au Fouquet's la victoire de son poulain en 2007. Un champion sur lequel Arnault mise toujours. Les mauvaises langues vont jusqu'à dire qu'il a acheté *Le Parisien* pour l'aider à courir en tête à la primaire de novembre 2016.

C'est encore pour son meilleur client que Squarcini ira, en mars 2013, à la pêche aux infos auprès de Christian Flaesch encore directeur de la PJ parisienne. LVMH vient de lancer une OPA hostile sur Hermès. Grâce au coup de fil du Squale, Bernard Arnault apprendra qu'une information judiciaire a été ouverte suite à la plainte au pénal déposée par la famille propriétaire de Hermès pour « manipulation de cours et délit d'initié ».

Déjà, quand il dirigeait la DCRI, le Corse aurait utilisé sa boutique au service de Bernard Arnault. Fin 2008, le renseignement intérieur aurait été mobilisé, sur ordre du chef, pour une affaire d'extorsion de fonds. Des dizaines d'agents déployés pour surveiller trois cybercafés utilisés par un maître chanteur qui réclame plusieurs millions d'euros à une personnalité en échange de son silence sur des informations dérangeantes. « Nous avons obtenu en un temps record tout le matériel de surveillance vidéo dont on avait besoin. C'était du jamais-vu comme délai... », avance un policier du renseignement intérieur[1]. La cible est bientôt identifiée, mais contre toute attente, ordre est donné de ne pas l'interpeller. Les fonctionnaires de la DCRI auraient appris plus tard qu'il s'agissait d'un des chauffeurs de Bernard Arnault. « On n'a pas compris pourquoi les moyens de l'État avaient ainsi été réquisitionnés. On nous a utilisés comme si on était la police privée de M. Arnault. La procédure normale aurait été de déposer plainte à la PJ, mais on a préféré confier le dossier à un service de renseignement pour ne surtout pas ébruiter l'affaire. Le chauffeur a dû entendre des choses qu'il ne devait pas. On n'a jamais su ce qu'il était devenu... »

Malgré les avertissements, Patrick Calvar s'accommodera de l'omniprésence de Squarcini dans sa boutique. « Quand il était à Beauvau, Valls a demandé à Calvar de couper les ponts avec Squarcini. Non seulement il ne l'a pas fait, mais il a gardé le plus longtemps

---

1. Entretien du 17 avril 2013.

possible les hommes du Squale. L'amitié quand elle est ancienne, c'est comme un pli sur une feuille de papier», explique un commissaire du renseignement[1] qui a travaillé avec le Squale et avec le Zébu. À l'arrivée de la gauche au pouvoir, beaucoup pensaient que les jours de Tijardovic étaient comptés. Contre toute attente, il restera en place à Levallois jusqu'à son départ en 2016 comme conseiller sécurité à l'ambassade de France à Zagreb. Un atterrissage en douceur dans un poste convoité, bien rémunéré, et dans un pays où il possède des attaches familiales. Deux ans plus tôt, Tijardovic a même été décoré de la Légion d'honneur par Bernard Cazeneuve. «Malgré l'histoire des fadettes, il a gagné un grade et il a réussi à se faire épingler la rouge. Tij a rendu de nombreux services à droite comme à gauche, ce qui lui a valu sa longévité», croit savoir notre commissaire du rens'. Pour expliquer l'inexplicable, les mauvaises langues vont jusqu'à prétendre que le numéro deux de la technique à Levallois aurait donné un coup de pouce pour identifier la ligne secrète de Nicolas Sarkozy, ouverte au nom de «Bismuth[2]». Rien ne le prouve.

Lorsqu'en 2016, la police judiciaire qui enquête sur Squarcini fait une descente dans ses anciens bureaux de Levallois, Calvar affirme découvrir l'ampleur des services rendus par les taupes du Squale dans sa propre maison. «Tout le monde savait, à commencer par Calvar, que Squarcini avait truffé Levallois d'anciens RG dévoués, avec lesquels il a toujours travaillé à l'affect», insiste pourtant notre interlocuteur. Dont une

---

1. Entretien du 9 août 2013.
2. Lire le chapitre «La désarkozysation», p. 15.

poignée de flics de terrain issus du service action des Renseignements généraux que le Squale a longtemps dirigé. L'un d'entre eux, un peu borderline, se fera rattraper roulant avec de fausses plaques d'immatriculation dans un couloir de bus. Un prétexte que Calvar saisira alors pour se débarrasser de l'encombrant policier, sans fâcher le Squale.

Des zonzons à foison

Malgré les demandes insistantes du cabinet de Valls à Beauvau, l'actuel patron de la DGSI maintient en poste, au motif qu'il n'a «rien à lui reprocher», le demi-frère de Michel Tomi. Le roi des casinos en Afrique est, on le sait, un proche de Squarcini[1]. Lorsqu'il était patron de la DCRI, ce dernier avait placé sur écoute des policiers des Courses et Jeux qui enquêtaient sur le Wagram, ce cercle parisien lié au grand banditisme corse. Et où Tomi a partie liée...

Tout commence le 6 février 2014, lorsque le major Franck A. entre dans le bureau du juge Tournaire. Le magistrat connaît ce policier qui a travaillé sous ses ordres lorsqu'il instruisait l'affaire Largo Winch, le nom de code du dossier du cercle de jeux Wagram. Pendant plus de quatre heures, l'ancien flic des Courses et Jeux va raconter la foudre qui s'est abattue sur lui lorsqu'il s'est attaqué aux réseaux corses du Squale. Il fait part de ses doutes d'avoir été à l'époque placé sur écoute. Une crainte fondée. La police des polices

---

1. Lire le chapitre «Opération Minotaure», p. 147.

retrouve trace d'un zonzon de cinq jours sur les téléphones du major. Un branchement effectué par le GIC, les grandes oreilles de l'État. Le 16 juin 2011, le Squale, alors directeur de la DCRI, a obtenu en « urgence absolue » le placement sur écoute du policier des Courses et Jeux. Au motif farfelu, assure le Squale au juge, qu'il serait en relation avec les services secrets algériens. Tout cela tient tellement peu la route, que dans sa demande écrite officielle de placement sur écoute, Squarcini mentionne... les services israéliens !

En réalité, si le major A. est zonzonné, c'est tout simplement parce que, huit jours plus tôt, il a perquisitionné l'appartement parisien d'une employée du Wagram, qui n'est autre que la nièce du Squale. Le commissaire chargé de la sécurité interne à la DCRI, que Squarcini a activé pour intercepter les conversations du policier, finira par lâcher devant les bœuf-carottes : « Je n'exclus pas l'idée d'avoir pu être instrumentalisé. » D'après nos informations, ce sont en tout trois demandes d'identification qui auraient été faites par la DCRI sur les téléphones de Franck A. Une opération qui précède généralement la mise sur écoute.

Jusqu'où est allée la curiosité du Squale pour savoir ce qui se tramait dans l'enquête sur le Wagram ? D'autres policiers, voire des magistrats ont-ils été mis sur écoute ? À l'automne 2014, les deux juges en charge du dossier, Serge Tournaire et Hervé Robert, nourrissaient des inquiétudes sur leurs propres téléphones et leurs ordinateurs. À Marseille, un juge, lui, a bel et bien fait l'objet d'une manip' orchestrée par le Squale. Charles Duchaine, aujourd'hui patron de l'Agence nationale anticorruption, était à l'époque juge d'instruction en charge du dossier Guérini. Il avait alors harponné le sénateur et président du conseil général des Bouches-du-Rhône pour «prise illégale d'intérêts», «trafic d'influence» et «association de malfaiteurs» dans une affaire de pots-de-vin autour d'une décharge publique. Déstabilisé par la justice, le baron local du PS pouvait toutefois compter sur le soutien de son puissant ami Squarcini dont il a employé la fille à l'hôtel du département. Alors que le juge touche presque à son but, le directeur de la police judiciaire, Christian Lothion, également proche du Squale et toujours prompt à rendre service son ami, demande à son numéro trois, Bernard Petit, de lancer en urgence et en toute discrétion une enquête sur Duchaine pour violation du secret de l'instruction[1]. Une torpille pour tenter de couler un magistrat bien dérangeant?

Pour preuve de la violation, Lothion fait remettre à Petit une clef USB censée contenir les pièces du dossier Guérini que le juge aurait illégalement fourguées à un journaliste. Mais stupeur : Petit découvre que la clef contient un autre dossier judiciaire. Christian Lothion invoque alors un loupé, mais annonce aussi une excellente nouvelle : le bon dossier, pour accabler Duchaine, vient d'arriver à la DGPN. Cette explication fumeuse va mettre la puce à l'oreille de Petit. Subodorant une entourloupe, voire un «chantier» monté pour discréditer le juge Duchaine, Bernard Petit se tournera vers le

---

1. Squarcini en a fait l'aveu à un juge d'instruction. L'information nous a été par ailleurs confirmée par Bernard Petit, entretien du 17 juillet 2016.

procureur de Marseille. D'un accord commun, ils ne donneront pas suite.

Petit s'est toujours méfié de la proximité entre Lothion et Squarcini. Il raconte qu'en 2013, son chef Christian Lothion est benoîtement venu le questionner : «Est-ce que la ligne de Squarcini est toujours branchée[1]? Parce que je viens de lui envoyer un SMS et c'est strictement personnel...» Aussitôt, Petit s'inquiète du contenu des échanges entre les deux hommes : qu'est-ce que Lothion a donc à cacher? Plus tard, l'enquête sur un supposé financement libyen de la campagne de Nicolas Sarkozy révèle qu'entre avril 2012 et février 2013, le patron de la PJ a échangé avec le Squale pas moins de cent quatre coups de fil. Lothion nourrira malgré lui, encore, la suspicion de son adjoint Petit. Toujours en 2013, il interroge ce dernier sur un homme d'affaires dont il ne lui avait jamais parlé auparavant. Or, manque de chance, quelque temps plus tôt, le service en charge des écoutes a entendu un proche de Sarkozy faire à Bernard Squarcini la même demande de renseignement sur le même homme d'affaires. Convaincu que son patron joue le télégraphiste du Squale, Petit lui fait passer le message : «On a branché Squarcini, ce serait vraiment bête que ses téléphones ne donnent plus rien...»

La justice vient de rattraper Bernard Squarcini, mais elle n'a pas poussé la porte du pavillon des hackers. La gauche au pouvoir n'a rien fait pour l'y aider. Par incompétence, par lâcheté ou par intérêt? Peut-être les trois à la fois.

---

1. Comprendre : sur écoute.

10

Franchissement de ligne blanche

« Cherche, cherche ! »

Soudain le chien marque l'arrêt. La truffe humide, il jappe. Son maître le laisse aller, tout en l'encourageant. Ce 13 décembre 2016, il n'a pas mis longtemps à trouver. Face à un mur dans le bureau du patron havrais de la Division nationale du renseignement et des enquêtes douanières (DNRED), l'animal aboie, gratte avec ses pattes. Ni une ni deux, les gendarmes de la Section de recherche (SR) de Paris sondent la cloison : elle est creuse. Sans difficulté, ils la démontent et y dénichent une valise. Elle contient 700 000 euros en liquide. Une jolie prise. Mais le clébard n'est pas encore totalement satisfait. À présent, il s'acharne contre le fauteuil du chef douanier. Après l'avoir éventré, les gendarmes découvrent 50 000 euros. Cette fois, le canin fouineur semble repu. Il n'en a pas pour autant fini son travail. Il accompagne les gendarmes au domicile du douanier pour une nouvelle perquisition. Là, ils mettent la main sur 50 000 autres euros, toujours en cash. Une liasse est planquée à l'intérieur du canapé familial. Une autre dans un faux plafond. Toutes deux sont soigneusement empaquetées dans des jolies enveloppes estampillées «Douane française».

Au même moment, les képis déboulent chez l'adjoint du chef de l'antenne havraise de la DNRED[1]. Cette fois, pas d'argent. Mais des documents. Une bonne dizaine de vrais-faux papiers d'identité, tous établis au même nom : celui d'un informateur originaire des Balkans. Pour parler de ce genre de personnage, les policiers disent : un «indic» ou un «tonton». Plus policés, les douaniers parlent d'«aviseur». Peu importe : ils effectuent le même boulot. Ils vendent du renseignement. Dans le meilleur des cas, ils sont «immatriculés». Traités par un fonctionnaire «référent» et agissant sous un nom de code – des lettres associées à un numéro –, ils sont facilement identifiables en cas de besoin. Sauf s'ils travaillent en «off», clandestinement. Dans ce cas, leur identification est impossible. Et leur rémunération totalement secrète.

C'est un arrêté publié au *Journal officiel* du 5 décembre 2007 qui fixe le montant maximum de la «gratte» accordée à un aviseur : 3 100 euros. Le texte précise : «Sauf décision contraire du directeur général des douanes.» Ce qui arrive «une fois sur dix», assure un haut fonctionnaire du ministère de l'Économie et des Finances, dont dépendent les douaniers. Une information évidemment impossible à vérifier. D'autant que l'arrêté précise que dans le cas d'un franchissement de plafond, le montant de la rétribution est «fixé de façon

---

1. Le fonctionnaire a été retrouvé pendu dans son bureau le 5 janvier 2017. Selon la direction des douanes, le lien entre son suicide et l'opération judiciaire n'est pas établi.

discrétionnaire et ne peut faire l'objet d'aucun recours ». Circulez, il n'y a rien à voir...

Rivalités malsaines entre services

Pour certains loustics, habitués à un train de vie plus que confortable, les 3 100 euros représentent moins que leur besoin en argent de poche. Et encore... Pour arrondir leurs fins de mois, les plus roués travaillent avec plusieurs employeurs. C'est le cas de l'aviseur de la DNRED du Havre. Il «tontonne» aussi avec les policiers de l'Office central pour la répression du trafic illicite des stupéfiants (OCRTIS). Un service concurrent. Lui aussi adepte des grosses saisies. Lui aussi visé par un énorme scandale judiciaire à venir. Car la lutte contre le trafic de drogue est non seulement l'objet de tentative de prise de marchés entre trafiquants mais aussi d'une rivalité malsaine entre services enquêteurs. C'est à celui qui va effectuer la plus importante saisie. Puis poser, face aux caméras des journaux télévisés, devant les tonnes de shit ou de coke avec, bien en vue, le logo stylisé de la maison qui vous emploie. Les chefs apprécient et les élus en raffolent. C'est le cas de Manuel Valls, comme d'ailleurs de ses prédécesseurs à l'Intérieur. Tout juste installé à Beauvau, il affirme sur RTL : «Nous avons besoin d'une guerre contre la drogue.» Le 27 novembre 2012, depuis Marseille, il scande sur Europe 1 : «Le trafic de drogue a pris une ampleur en France, en Europe, dans le monde, qui est insupportable. S'il y a une priorité pour moi, c'est la lutte contre le trafic de drogue qui représente un chiffre d'affaires de plus de deux milliards d'euros et met sous coupe des quartiers, une économie et des familles. »

C'est tout à fait exact. Et Valls en sait quelque chose : sa propre sœur a été narco-dépendante[1]. Comme il est parfaitement conscient que la multiplication de saisies ne résout rien. Au mieux, elle assèche le marché pendant un temps, qui reprend de plus belle après, empruntant d'autres voies, usant d'autres « mules », alimentant d'autres consommateurs dans d'autres quartiers. « Ce ne sont pas les saisies qui sont importantes, c'est le démantèlement de réseaux », fait justement remarquer un magistrat spécialisé. Un de ses collègues, désormais éloigné de l'instruction, témoigne : « Je suis dégoûté par ce que j'ai vu. Douaniers et policiers nous baladent. Ils travaillent avec des tontons qui eux-mêmes sont des trafiquants. Donc ils jouent de la concurrence entre mafias. Certes, ils saisissent énormément de marchandises. Mais pour pouvoir le faire, ils en laissent passer sciemment des tonnes. C'est même parfois pire : certains montent eux-mêmes des opérations, destinées à satisfaire leur hiérarchie et les décideurs. Les services de l'État sont devenus en France les plus gros trafiquants de drogue. » Stupéfiant.

De fait, plusieurs instructions ont été cassées, en tout ou partie, pour vice de procédure. Parfois parce que l'opération a été menée de toutes pièces. Douaniers ou policiers parlent de « coups d'achat ». Certaines de ces opérations sont déclarées à l'autorité judiciaire. D'autres non, donc illégales. Les fonctionnaires génèrent ainsi eux-mêmes un trafic pour pouvoir effectuer une

---

1. Giovanna Valls Galfetti, *Accrochée à la vie*, JC Lattès, 2015.

belle saisie et rouler des mécaniques. Comme les magistrats de la chambre de l'instruction de la cour d'appel de Paris l'ont découvert en juillet 2015. Ils ont ainsi annulé l'intégralité d'une procédure ayant abouti à la saisie de cent trente-deux kilos de cocaïne et à l'incarcération de neuf trafiquants présumés. Les hauts magistrats ont estimé que « la perpétration des faits n'avait été rendue possible que par l'intervention active » des policiers de l'OCRTIS dans cette affaire. Ce que deux tontons ont fini par avouer. L'un d'eux a explicitement soutenu que « s'il n'y avait pas eu l'OCRTIS qui avait poussé à la roue pour accepter toutes les demandes des trafiquants, personne ne serait là aujourd'hui ». Questionné à son tour par les juges, le commissaire divisionnaire, patron de l'Office, a défendu ses troupes en soutenant que « cette procédure avait été initiée de manière tout à fait classique »[1].

« Classiques » aussi, ces enquêtes qui ne peuvent aboutir parce que les magistrats s'aperçoivent, après avoir mesuré la différence faite entre la came saisie et celle à détruire, qu'une partie de la marchandise s'est évaporée. Ou que de l'argent manque. Voire les deux. Les sommes trouvées chez les douaniers du Havre sont le fruit de ce business. Les magistrats spécialisés ont l'air convaincus : « Le fric sert à la fois à rétribuer les aviseurs, mais également à montrer de fausses opérations. Ce n'est pas uniquement parce que les douaniers ont été plus performants ou les trafiquants plus mauvais que le

---

1. L'arrêt de la chambre de l'instruction a été censuré le 17 novembre 2015 par la Cour de cassation. L'affaire a été renvoyée devant la cour d'appel de Versailles.

nombre de saisies augmente spectaculairement.» Entre 2008 et 2015, les objectifs chiffrés de la DNRED ont plus que doublé.

Deux affaires stupéfiantes

L'affaire du Havre, baptisée par les gendarmes de la SR de Paris «L'or du café» parce qu'elle a été initiée en juillet 2015 après la saisie spectaculaire de quarante-trois tonnes de café contrefait en provenance du Sud-Est asiatique, n'est pas une première. Le 25 janvier 2016, deux juges d'instruction de la juridiction interrégionale spécialisée de Paris se présentent au pied de l'immeuble des douanes judiciaires à Ivry-sur-Seine, dans le Val-de-Marne. Ils ne sont pas là pour une visite de courtoisie. Chargés d'une instruction portant sur des faits de trafic de drogue impliquant des douaniers et plusieurs de leurs aviseurs, les deux magistrats comptent bien récupérer un certain nombre de documents relatifs à la gestion et aux rémunérations accordées à ces informateurs. Ils ont pris le soin de se faire accompagner par des membres de la Commission consultative du secret de la Défense nationale. Les locaux de la DNRED sont en effet protégés par le secret-défense. Et de fait, les magistrats auraient rencontré une incroyable résistance.

Selon plusieurs témoins, les douaniers ont d'abord fait patienter de très longues minutes les deux intrus. Après s'être fait désirer, le directeur des lieux arrive, la perquisition peut enfin débuter. Dès que les juges manifestent leur intention de mettre leur nez dans un bureau, le secret-défense leur est aussitôt opposé.

«L'attitude des douanes était tellement ridicule qu'on en était à se demander si le papier des toilettes n'était pas aussi frappé par le secret-défense! se souvient un des témoins[1]. Il faut quand même savoir que le bureau tout entier du directeur de la DNRED est protégé par le secret-défense.» Sans doute un bon moyen pour éviter les curieux.

Quoi qu'il en soit, les visiteurs du jour accèdent finalement à ce qu'ils sont venus chercher : enfermés dans un coffre-fort, les précieux dossiers des aviseurs. Leurs noms, leurs coordonnées, leurs états de service y figurent. Bien vite, les juges déchantent : plusieurs dossiers auraient récemment disparu. Par hasard. Malgré cette déconvenue, les magistrats ne peuvent s'empêcher de sourire, lorsqu'ils découvrent dans le bureau d'un chef gabelou un joli cadre contenant une photo où apparaît François Hollande posant devant les sept tonnes de cannabis, saisis quelques mois plus tôt, boulevard Exelmans à Paris par les douaniers.

Si les magistrats se marrent, c'est qu'ils savent que des collègues à eux enquêtent sur cette autre rocambolesque affaire qui va éclabousser l'ensemble de la police judiciaire. Et dans le meilleur des cas contraindre les pouvoirs publics à revoir la totalité de leur doctrine en matière de lutte contre le trafic de stupéfiants. Elle débute donc par un coup de fil de la Direction des douanes à sa tutelle. Ce dimanche 18 octobre 2015, Michel Sapin est avisé que ses hommes viennent de réaliser un joli coup : 7,1 tonnes de résine de cannabis saisies dans des véhicules garés boulevard Exelmans,

---

1. Entretien du 12 janvier 2017.

à Paris, dans le 16e arrondissement. Le ministre est justement en train de déjeuner avec son ami le président de la République. François Hollande connaît bien le quartier : il y a habité avec Ségolène Royal et leurs quatre enfants. Les deux amis décident de rejoindre le siège de la DNRED pour rendre hommage aux enquêteurs. Hollande voit l'occasion de reprendre la main sur la sécurité, un domaine dans lequel Manuel Valls ne souffre pas la concurrence. Arrivés à Ivry, le chef d'État et son ministre saluent les douaniers armés, cagoulés, cintrés dans leurs uniformes noirs qui semblent sortir de la teinturerie, s'esbaudissent devant les dizaines de paquets noirs et bleus qui contiennent la marchandise et se font préciser que le trafiquant a réussi à prendre la fuite. Les chefs douaniers fanfaronnent : «Cette saisie est la plus importante réalisée en France au cours des deux dernières années ! La valeur de la drogue appréhendée représente près de 15 millions d'euros sur le marché illicite des stupéfiants.» Face à la presse invitée à immortaliser l'événement, le chef de l'État rend hommage aux fonctionnaires qui «portent un coup fatal» au trafic de stups. Il ignore alors que les 7,1 tonnes de shit ne sont qu'une partie des quarante tonnes venues inonder le marché français et belge depuis octobre 2015 avec la complicité de policiers français.

Une fois la photo réalisée, élus et douaniers se retirent. Le parquet de Paris confie d'abord l'enquête à l'OCRTIS, avec pour mission première de coffrer un certain Sofiane H., réputé être le plus grand trafiquant de shit en Europe. Une facture de pressing à son nom a été miraculeusement trouvée dans un des véhicules du boulevard Exelmans. Puis dans un brusque changement de pied, François Molins décide de dessaisir l'OCRTIS au bénéfice à la fois la gendarmerie et la brigade des stupéfiants de la préfecture de police de Paris (BSP). Le magistrat n'avait en réalité pas le choix. Dès les premiers éléments de l'enquête, il s'est aperçu que Sofiane H. est aussi un indic du patron de l'OCRTIS, François Thierry. « Une information capitale qui a été dissimulée à la justice », tonne le magistrat. De son côté, le policier vitupère contre ses concurrents de la douane en dénonçant auprès de ses supérieurs « une saisie sèche intempestive et précipitée », qui compromet une « infiltration judiciaire très prometteuse ».

Interpellé en Belgique après deux mois de cavale, Sofiane H. est rapatrié à Paris en hélicoptère, escorté comme un terroriste par le GIGN[1]. Lors de la perquisition de son dernier domicile bruxellois connu, la police met la main sur un carnet dans lequel est consignée une partie de sa comptabilité. Sur une des pages griffonnées, il est fait mention de près de 45 millions d'euros répartis entre le Maroc, l'Algérie, l'Espagne. Mais aussi Dubaï, la République dominicaine et la Thaïlande.

Entendu par les juges français, Sofiane H. assure n'avoir pris « aucune initiative » et exige d'être confronté aux fonctionnaires de l'OCRTIS. « Vous pensez qu'avec mon expérience de trafiquant, si la marchandise était à moi, j'aurais laissé près de quatre cents paquets dans ma rue ? » interroge-t-il lors de sa première audition. Il raconte aux enquêteurs avoir contribué à l'opération « Janissaire », du nom de l'élite de l'armée ottomane. Ce n'est pas 7,1 tonnes qu'il a importées avec la

---

1. *Le Canard enchaîné*, 13 avril 2016.

bienveillance de l'Office central sur le sol français, mais 40 tonnes, soit deux bons mois de consommation pour les «shiteux» de l'Hexagone. Lui se chargeait de la livraison, les policiers d'arrêter les destinataires.

Aux enquêteurs, Sofiane H. assure que «Janissaire» devait être son dernier gros coup, l'ultime épisode d'une collaboration débutée en 2009 avec François Thierry[1]. FT, surnommé aussi «Yeux bleus» par ses hommes, gérait directement son «tonton préféré». La compagne du policier, avocate de profession spécialisée dans les transactions immobilières, a obtenu une improbable libération conditionnelle du trafiquant, au printemps 2014, alors qu'il avait été condamné en avril 2011 à treize ans de prison. Depuis, croit savoir un ex-collègue de FT, «c'est à la vie à la mort entre eux[2]».

Le tonton au trou, le superflic a été muté discrètement, placardisé à l'antiterrorisme. Une enquête qui vise ses agissements a été diligentée par l'Inspection générale de la police nationale. «François est malin, lâche un de ses anciens subordonnés. Il a pris toutes les précautions nécessaires. Le parquet a toujours été avisé de ce que nous préparions. Et il n'a jamais trouvé rien à redire.» Ça sent la menace. «Si les juges vont au bout de l'instruction, je ne vois pas comment FT peut échapper à une mise en examen, pronostique une huile de Beauvau. Et je ne vois pas non plus comment on pourra échapper à une remise en cause des hommes et des méthodes de lutte contre les stupéfiants, jusqu'au sommet de la police et de la justice.» Sans doute pour tenter

---

1. *Libération* du 29 novembre 2016.
2. *Ibid.*

de désamorcer cette bombe, la patronne de la Direction centrale de la police judiciaire, Mireille Ballestrazzi, a remis au ministre de l'Intérieur un rapport présentant, dans le menu détail, les «magnifiques» dossiers réalisés grâce aux précieuses informations fournies par Sofiane H. «Dans ce document figurent dix-sept affaires apportées par ce tonton, révèle un haut fonctionnaire! Il y a plusieurs dossiers ayant trait à de vastes trafics de cannabis mais pas seulement. Cet indicateur a également joué un rôle central dans une future mission d'infiltration gérée par un juge d'instruction de Lyon. Évidemment, cette opération a été annulée *sine die*.»

Mais Beauvau se garde bien de dire ce que l'enquête judiciaire[1] a d'ores et déjà mis au jour. Une partie du trafic «autorisé» dans le cadre de l'opération «Janissaire» aurait dû revenir à des dealers proches des milieux islamiques. Autrement dit : la police aurait indirectement financé des terroristes! «Si l'instruction va à son terme, le scandale est énorme, confie une source judiciaire[2]. Jusqu'à présent, les autorités fermaient les yeux sur une partie du trafic de shit. Il est à la fois facteur de paix sociale et contribue à une certaine stabilité économique dans des cités les plus paupérisées. En Seine-Saint-Denis, par exemple, on ne peut plus parler d'économie souterraine. Mais d'économie tout court. Par an, le marché de la drogue génère 1 milliard d'euros de chiffre d'affaires! C'est considérable! Mais si l'argent de la came finance des terroristes, c'est tout autre chose. En réalité, c'est toute notre politique judiciaire et pénale

---

1. Toujours en cours au moment où ces lignes sont publiées.
2. Entretien du 1er décembre 2016.

qu'il faut revoir. C'est toute la chaîne de trafiquants qu'il faut démanteler. Et pas seulement le petit ou gros dealer du coin de la rue. Notre action doit avoir une portée internationale. Il faut convaincre, si ce n'est contraindre, nos partenaires – à commencer par le Maroc – à mettre un terme à la production de cannabis. »

Cash is still king

En attendant ce très hypothétique changement de géopolitique, les services judiciaires de la gendarmerie ont investi le terrain dévasté par la douane et la police judiciaire. Plutôt que de se livrer à une concurrence farouche sur le nombre de tonnes saisies, les képis ont préféré s'en prendre à l'argent de la drogue, aux portefeuilles des trafiquants en s'appuyant sur le principe *Cash is still king*, l'argent est toujours le roi. Fin novembre 2016, dans le cadre d'une affaire instruite à Marseille, ils ont ainsi démantelé un gigantesque réseau de blanchiment d'argent sale. Au cours de perquisitions menées dans l'ensemble du pays, ils ont saisi sept cent quatre-vingt-cinq kilos de cannabis, dix kilos de cocaïne. Mais aussi sept kilos d'or et 5 millions d'euros en liquide. Ce qui n'est rien comparativement aux 400 millions d'euros blanchis en quatre ans par ce réseau européen. Le système de cette mafia était parfaitement huilé et connu, depuis la nuit des temps. Baptisé *halawa* – « transfert » en arabe –, il repose sur le seul principe de la confiance et sert aux transactions « commerciales » en tout genre. « C'est très simple, raconte un enquêteur. Il y a des coursiers et des succursales, souvent installées dans des épiceries. Comme à Wall Street, des donneurs d'ordre passent leurs commandes : "Tu vas récupérer 50 000 euros, tu vas les remettre à X. ils habitent à Y." L'argent tourne, circule et finit par être blanchi...» À Besançon, par exemple, le coursier et son client ont été interpellés au moment où le premier venait chercher 890 000 euros en petites coupures, fruit du trafic local de drogue. Au total, une quarantaine de personnes ont été interpellées à travers le pays. Et pas que des trafiquants de came : un médecin parisien, un vendeur de jeans chinois... «Grâce à ce réseau, ces individus ont trouvé le moyen de soustraire de l'argent au fisc», précise notre enquêteur[1]. Mais les gendarmes ont échoué à serrer le principal donneur d'ordre. Il réside au Maroc. Lorsque les «bleus» ont frappé à la porte de sa luxurieuse villa de Marrakech, il avait pris la poudre d'escampette. Ses meubles et ses affaires avec lui. Précision : pour mener à bien ce genre d'opération de coopération entre services, les autorités judiciaires locales sont prévenues bien à l'avance...

Pour démanteler ce trafic d'argent sale de la drogue, les gendarmes n'ont pas lésiné sur les moyens. Ils jouaient gros : démontrer qu'ils pouvaient faire à la fois autrement et mieux que les services de police concurrents. «Nous jouions notre crédibilité sur le terrain judiciaire et sur celui de lutte contre le trafic de stupéfiants», reconnaît, après coup, un gradé de la direction générale de la gendarmerie. Au total, quatre cent vingt-cinq gendarmes ont été mobilisés dans la plus grande discrétion. Les interpellations ont été menées simultanément dans

---

1. Entretien du 7 décembre 2017.

le pays. Pour ce faire, les principaux enquêteurs – ceux de la Section de recherche de Paris – disposaient d'un véhicule pour deux et étaient escortés par deux motards de la Garde républicaine. Les suspects étaient tous conduits dans les locaux désaffectés du fort de Rosny-sous-Bois, en banlieue parisienne. Pour conduire dans de parfaites conditions les interrogatoires, les lieux avaient été spécialement aménagés, avec des téléphones et des ordinateurs, un réseau Intranet et Internet établi. Une fois interrogées, les personnes arrêtées ont été conduites dans un bus – escortées par la Garde républicaine – jusqu'à la gare de Lyon. Là, une rame entière d'un TGV pour Marseille avait été réservée, où un juge les attendait pour les mettre en examen et les déférer. Les suspects ont fait tout le voyage avec des écouteurs de chantier sur les oreilles afin d'éviter qu'ils communiquent entre eux. Sur le quai, au moment du départ, des policiers sifflaient de jalousie : «On n'a jamais vu ça!»

Les magistrats non plus. De l'avis de l'un d'entre eux, les services anti-stups, entraînés dans une course folle aux résultats, sont devenus les plus gros trafiquants de France. C'est toute la philosophie et les méthodes de la lutte antidrogue qui sont à reconstruire. Par crainte d'être taxée de laxisme, la gauche, Manuel Valls en tête, n'a pas voulu résister à cet emballement. Snif.

11

L'ennemi intérieur

Des éclats de voix, des portes qui claquent. Le siège national du Parti socialiste, rue de Solférino, en a vu d'autres. Mais en ce jour gris de la fin octobre 2016, l'un des bureaux du premier étage a des allures de champ de bataille. Ils sont une petite dizaine réunis autour de Patrice Bergougnoux, conseiller spécial du Premier secrétaire Jean-Christophe Cambadélis. L'ex-directeur général de la police nationale est chargé de construire le volet «sécurité» du futur candidat socialiste à la présidentielle. Il s'agit de faire vite et bien. La droite n'a pas encore désigné son champion mais quel qu'il soit, son programme sera ultra-sécuritaire, à la remorque de celui du FN.

Outre les permanents du parti, le préfet Bergougnoux a réuni autour de lui Marie-Pierre de La Gontrie, députée de Paris et secrétaire nationale du parti chargée du «pôle République et Citoyenneté»; Sébastien Pietrasanta, député des Hauts-de-Seine et secrétaire national à la sécurité ainsi qu'un ancien magistrat antiterroriste, désormais à la Cour de cassation : Michel Debacq. Entre ces trois-là, très vite, la rencontre tourne au pugilat. Une question d'ego, évidemment : les deux parlementaires s'empoignent depuis des mois pour apparaître comme l'incontournable «Monsieur» ou «Madame sécurité» du parti. Et donc, potentiellement, futur ministre de l'Intérieur. Le magistrat, homme de l'ombre, qui depuis une trentaine d'années a servi plusieurs ministres de l'Intérieur et de la Justice de gauche, s'en irrite. Mais plus encore, il reproche à l'un et à l'autre d'avoir, sans recul, approuvé – et même pire, encouragé – une politique ultra-sécuritaire au détriment des libertés individuelles. Une attitude qu'il qualifie de «néosarkozienne». L'ancien CRS Bergougnoux tente bien de ramener le calme. Mais trop tard. Les noms d'oiseaux volent. La Gontrie déserte brusquement les lieux. Pietrasanta reste sur sa chaise mais paraît à la fois interdit et groggy. Bergougnoux n'a d'autre choix que de lever la séance : le futur candidat à la présidentielle du PS n'aura donc pas de programme «sécurité». À moins qu'il ne l'élabore lui-même...

L'idée du préfet n'était ni sotte ni inédite. Cette réunion était censée déboucher sur la tenue d'un nouveau Forum de Créteil. Le premier avait eu lieu le 17 novembre 2010. À l'approche du scrutin présidentiel, les socialistes tentaient alors de mettre de l'ordre dans leurs idées sur la sécurité. Il s'agissait d'aller chercher le duo de l'exécutif Nicolas Sarkozy et François Fillon, sur son propre terrain. Le sénateur-maire de Dijon, François Rebsamen, qui ambitionnait déjà de devenir ministre de l'Intérieur, avait ainsi résumé la gageure : «Devenir aussi crédible que la droite.» Son concurrent, le député du Finistère Jean-Jacques Urvoas, n'avait pas dit autre chose lorsqu'il avait appelé ses camarades à «en finir avec l'angélisme», «la naïveté». Au «tout sécuritaire», il opposait «la sécurité pour tous». Sous son impulsion, les socialistes adoptent à l'issue du Forum de Créteil «un pacte national de protection et de sécurité publique» qui se déclinait en «22 propositions pour apporter des réponses justes et efficaces à la délinquance». Aucune d'entre elles ne concerne la lutte contre le terrorisme. En revanche, il en est question dans un livre réquisitoire contre la politique menée par la droite qui accompagne ce programme. Intitulé *La France en libertés surveillées. La République en danger* et décliné sous forme d'abécédaire, on lit à la lettre «A comme Antiterrorisme» : «La France dispose d'un arsenal de lois et de procédures antiterroristes complet. L'infraction d'association de malfaiteurs en relation avec une entreprise terroriste se traduit par des critères peu exigeants et permet de simples arrestations préventives.» Pourtant, deux ans plus tard, arrivée au pouvoir, la gauche fera voter un arsenal judiciaire antiterroriste sans précédent.

Quatre ans, quatre lois

Certes, en un quinquennat, la menace terroriste a changé de nature et d'échelle. François Hollande est devenu président de la République quelques semaines après les attentats de Toulouse qui ont fait sept morts, dont trois enfants d'une école juive. Une première loi antiterroriste est adoptée en décembre 2012. Personne ne peut encore imaginer l'ampleur que va prendre le phénomène djihadiste. Sous l'impulsion de Manuel Valls, ministre de l'Intérieur épaulé par son bras séculier à l'Assemblée, Jean-Jacques Urvoas, alors président de la commission des Lois, une deuxième loi d'ampleur beaucoup plus large est votée en novembre 2014. Elle crée notamment les interdictions administratives de sortie du territoire et le délit d'entreprise terroriste individuelle, contre «les loups solitaires». Elle punit plus lourdement l'apologie du terrorisme et permet le blocage administratif des sites Internet relayant ces messages. Malheureusement, ces nouvelles armes ne pourront rien deux mois plus tard. Le 7 janvier 2015, dix-sept personnes meurent dans les attentats contre la rédaction de *Charlie Hebdo* et la supérette Hyper Cacher de la porte de Vincennes, à Paris.

L'été suivant, une nouvelle loi est promulguée. Cette fois consacrée au renseignement, elle légalise des pratiques qui ne l'étaient pas et dont usaient et abusaient les services de police. Ravis, les fonctionnaires se voient dès lors notamment autorisés à poser un mouchard dans un ordinateur, un micro dans une pièce ou une balise de géolocalisation sur un véhicule. Le texte contraint également les opérateurs Internet à « détecter des connexions susceptibles de révéler une menace terroriste» grâce à «des traitements automatisés». Les autorités espèrent pouvoir déceler, grâce à un algorithme automatique, des individus suspects. Cette «boîte noire» serait alors mise en place chez les fournisseurs d'accès, mais aussi chez Google, Facebook ou Twitter. Pareil système surveille l'ensemble des internautes de manière anonyme pour détecter des «signaux faibles» avant un hypothétique passage à l'acte. Et, en cas de suspicion, les opérateurs doivent dénoncer la personne correspondante aux enquêteurs. La Commission

nationale de l'informatique et des libertés (Cnil) considère que ce texte légalise des «mesures de surveillance
beaucoup plus larges et intrusives». Le Conseil national
du numérique «s'inquiète d'une extension significative
du périmètre de la surveillance» et dénonce «une forme
de surveillance de masse». Quant à la Ligue des droits
de l'homme, elle fustige «une logique de pêche au cha-
lut», qui ne distingue pas le menu fretin du requin tueur.

Les services de renseignement apprécient les grandes
fricassées. Bien que déjà totalement rassasiés, ils tentent
cependant d'en obtenir davantage. En janvier 2016, la
Direction générale de la sécurité intérieure adresse à
la Commission nationale de contrôle des techniques de
renseignement (CNCTR), une demande d'interceptions
de sécurité. Alors que la loi spécifie que ces demandes de
collecte doivent être «individuelles et motivées», celle-
ci est groupée et simplifiée. Francis Delon, président de
la CNCTR s'en émeut le 10 février devant la commission des Lois du Sénat. Le 18 mai, aux députés de la
commission d'enquête parlementaire sur les moyens
de l'État contre le terrorisme qui s'étonnent qu'on ne
puisse «pêcher large», il répond un brin agacé : «La loi
dispose expressément que l'individu considéré doit
représenter une menace.» Trois mois plus tard, la loi
sur le renseignement est substantiellement modifiée.
Pour espionner des quidams et leurs entourages – fami-
liaux, professionnels ou occasionnels –, il suffit que les
services de renseignement aient «des raisons sérieuses
de penser» que les suspects représentent une menace.
Quant à la CNCTR, elle est priée de délivrer une autorisation de surveillance pour quatre mois et non deux
comme initialement fixé.

Si elle restreint incontestablement les libertés individuelles, cette loi n'empêche nullement les terroristes de frapper. Pas plus que les précédentes : cent trente personnes trouvent la mort dans les rues de Paris et au Bataclan le 13 novembre 2015. Ce soir-là, en état de sidération comme beaucoup de Français, François Hollande décrète « l'État urgence » et la « fermeture des frontières ». Prolongé à quatre reprises, cet état d'exception est devenu habitude, presque banalité. Il permet notamment d'assigner à résidence et d'effectuer des perquisitions chez des personnes, sans avoir à justifier de soupçons précis à leur endroit.

Dès les premières heures de sa promulgation, le départ d'un drôle de concours est donné. « C'était le perquisithon ! se souvient un préfet[1]. Comme la plupart de mes collègues, je suis devenu un zélote. Dès le déclenchement de l'état d'urgence, le ministère de l'Intérieur nous a incités à multiplier les perquisitions administratives. Nous nous sommes lancés dans une course à l'échalote. » Bilan : Beauvau établit des tableaux quotidiens, des cartes, des graphiques, département par département, où apparaissent le nombre de descentes, de saisies d'armes, de gardes à vue, d'affaires judiciaires déclenchées et... le nombre d'« étrangers en situation irrégulière » débusqués. Là encore, le pouvoir ratisse large. « Cette drôle de période me rappelle le bon de temps de Sarko et ses statistiques bidonnées de la délinquance, se marre un autre préfet en région[2]. C'était à celui qui faisait le plus de crânes. Désormais, c'est à

---

1. Entretien du 13 octobre 2016.
2. Entretien du 5 octobre 2016.

celui qui se fait le plus d'islamos!» Au lendemain des attentats de Paris et du Bataclan, «les policiers se sont lâchés, avoue un haut fonctionnaire de l'Intérieur. Ils avaient dans le collimateur des radicaux et y sont allés de bon cœur». Un commissaire divisionnaire du renseignement territorial[1] confirme : «C'est vrai, il y a eu quelques portes de cassées. Mais nous n'avons fait que rattraper des retards. Ces cibles, on n'avait rien de judiciaire contre elles. C'était l'occasion d'en trouver. Cela n'a pas été le cas. On a tout de même accumulé beaucoup de renseignements et actualisé une cartographie. Surtout, il ne faut pas déconner : les mecs qui sont en face ne sont pas des enfants de chœur.»

Concrètement, selon la commission de contrôle parlementaire, depuis l'instauration de l'état d'urgence le 13 novembre 2015 jusqu'au 1er décembre 2016, 4 292 perquisitions ont été menées. Elles ont conduit à l'ouverture de 670 procédures judiciaires, dont 61 concernaient des faits en lien avec le terrorisme, parmi lesquelles 20 portaient sur des faits pour association de malfaiteurs en matière terroriste. Parallèlement, 612 assignations à résidence ont été prononcées, une vingtaine de fermetures de lieu de réunion (de cultes ou non) et une dizaine de dissolutions d'associations ont été décidées et 1 657 contrôles d'identité et fouilles de véhicules ont été également ordonnés. Mais aucune procédure judiciaire n'a abouti, au moment où ces lignes sont publiées.

Cependant, se justifie le président de la République au début du mois de juillet 2016, alors qu'il s'apprêtait

---

1. Entretien du 22 décembre 2017.

à mettre fin à cet état d'exception, «il fallait rassurer les Français. Ceci étant, on ne peut pas, dans un État de droit, faire des perquisitions toutes les nuits. Sinon, on n'est plus dans un État de droit, c'est un état de siège.» Quelques jours plus tard, au lendemain de l'attentat de Nice, le 14 juillet 2016, qui a fait plus de quatre-vingts victimes, François Hollande décide de prolonger une nouvelle fois l'état d'urgence.

En revanche, il échoue à réviser la Constitution pour, à la fois, raffermir l'état d'urgence et permettre la déchéance de nationalité des terroristes, s'ils n'ont pas d'autre nationalité que française. François Hollande en avait manifesté l'intention au lendemain des attentats du Bataclan. Cette idée n'est pourtant pas la sienne. Lorsque le 14 novembre, il réunit à l'Élysée un cercle restreint de ministres, il leur demande des idées, des propositions législatives ou autres supposées répondre à «l'état de guerre». C'est le Premier ministre, Manuel Valls, qui propose d'inscrire «la déchéance» dans la Constitution. «Nous étions quelque peu démunis, se souvient un des présents ce jour-là. L'état de choc provoqué par la mort de nos compatriotes ne favorisait pas l'émergence d'idées neuves et enthousiasmantes. Et puis, s'il existait une recette magique pour combattre le terrorisme, ça se saurait. Manuel a proposé la déchéance de nationalité parce qu'il savait que l'opposition militait en sa faveur. Il s'agissait de montrer, s'il en était encore besoin, que la gauche en avait définitivement fini avec son aggiornamento en matière de sécurité.» Et, accessoirement, tenter de piéger la droite.

Le 16 novembre, du haut de la tribune du Congrès réuni en urgence à Versailles, François Hollande déclare :

« Nous devons pouvoir déchoir de sa nationalité française un individu condamné pour une atteinte aux intérêts fondamentaux de la Nation ou un acte de terrorisme, même s'il est né français. Je dis bien même s'il est né français, dès lors qu'il bénéficie d'une autre nationalité. » Car, précise le chef de l'État, cette mesure ne doit « pas avoir pour résultat de rendre quelqu'un apatride ». Dans une unanimité, née du climat de terreur, gauche et droite applaudissent. « Enfin ! » se réjouit même l'extrême droite. Pas l'opinion publique et singulièrement « le peuple de gauche ». Sous sa pression et après quatre mois de controverses, l'opération échoue lamentablement. À dire vrai, Hollande n'y a jamais vraiment cru. Pas plus dans l'opposition qu'au pouvoir. En 2010, sur France 5, il jugeait la proposition de la droite « attentatoire à ce qu'est la tradition républicaine et en aucune façon protectrice pour les citoyens ». En décembre 2015, il confie à Gérard Davet et Fabrice Lhomme : « La déchéance n'a aucune incidence sur le terrorisme. » Finalement, il renonce à mener à bien cette réforme le 30 mars 2016. Et le 1er décembre de la même année, au moment où il renonce à briguer un autre mandat, il avoue aux Français : « Je n'ai qu'un seul regret : d'avoir proposé la déchéance de nationalité parce que je pensais qu'elle pouvait nous unir alors qu'elle nous a divisés. »

Entre-temps, le Parlement a adopté une nouvelle loi antiterroriste. La quatrième en quatre ans. En juin 2016, après le meurtre de deux policiers à Magnanville et quelques semaines avant les attentats de Nice et de Saint-Étienne-du-Rouvray, une dernière loi antiterroriste est adoptée. Longue de cent vingt articles, elle intègre toutes les mesures prônées depuis des mois par la droite, à l'exception de la rétention administrative des fichés S. Ainsi, elle durcit les peines pour terrorisme et les conditions d'incarcération; elle crée un délit de «consultation habituelle» des sites terroristes[1]; institue un régime d'assignation à résidence et de contrôle administratif pour les djihadistes de retour. Et enfin, elle protège les forces de l'ordre contre toutes poursuites pénales si elles font un usage «absolument nécessaire et strictement proportionné» de leurs armes à feu. L'état d'urgence leur avait déjà permis de garder leur flingue en dehors des heures de service. Sarkozy l'avait promis. Hollande, Valls et Cazeneuve l'ont fait.

Un conflit estival

Les semblants d'unité et de synthèse, quand il s'agit de lutte contre le terrorisme, volent en éclats lorsque la gauche de gouvernement s'essaie à réformer la sécurité du quotidien des Français. François Hollande est à l'Élysée depuis un an tout juste et voici que les vieilles fractures s'ouvrent à nouveau. Deux lignes s'affrontent, incarnées, en cet été 2013, par la ministre de la Justice, Christiane Taubira et son collègue de l'Intérieur, Manuel Valls. Une drôle de cohabitation, qui n'est pas sans rappeler celle vécue par Élisabeth Guigou et Jean-Pierre Chevènement, respectivement garde des Sceaux et ministre de l'Intérieur de Lionel Jospin (1997-2002).

---

1. Le délit de «consultation habituelle» des sites terroristes a été jugé contraire aux libertés fondamentales par le Conseil Constitutionnel le 10 février 2017.

Les résolutions et propositions du Forum de Créteil sont oubliées, au mieux rangées dans des cartons à archives, au pire jetées à la poubelle.

L'affrontement entre les locataires de la Place Vendôme et de la Place Beauvau se cristallise durant l'été 2013 au sujet de la future réforme pénale. Lorsque Taubira et Valls se croisent, cet après-midi du 23 août, dans le hall d'un hôtel de La Rochelle. Ils ne se toisent même pas, ils s'ignorent. Lui, mâchoires serrées, en sueur, vient de subir les quolibets et sifflets des militants socialistes, présents à l'Université d'été. Parlant de lui à la troisième personne, il a pourtant tenté de les rassurer, hurlant à la tribune : «Le ministre de l'Intérieur est de gauche. Il est socialiste et fier de l'être. » Elle, pimpante et virevoltante, s'apprête, devant quatre mille enthousiastes, à fustiger «la fermeté incantatoire» et «le creux de l'action» de son rival, sans jamais le citer. Un peu plus tôt, devant leurs partisans respectifs, ils avaient usé des mêmes mots. Elle : «Le courage, je n'en manque pas. Les coups, je sais les prendre. » Lui : «J'aime prendre des coups. Je sais aussi en donner. »

Cette nouvelle guerre des Roses, ce remake du match entre le camp des libertés et celui de la sécurité, a débuté tout juste un mois plus tôt. Ce 25 juillet 2013, le ministre de l'Intérieur prend sa plus belle plume pour écrire au chef de l'État. À l'instar d'un écolier cafeteur, il «attire [son] attention sur les désaccords mis en lumière par le travail interministériel qui s'est engagé récemment autour du projet de réforme pénale présenté par le ministère de la Justice». Puis il balance : «Ce projet de loi repose sur un socle de légitimité fragile», d'autant que «la quasi-totalité des dispositions de ce texte a fait l'objet de discussions, voire d'opposi-tions du ministère de l'Intérieur». Reconnaissant que «l'écart entre nos analyses demeure trop important», Valls fustige la proposition de sa concurrente de vouloir supprimer «les peines planchers». Ce dispositif, voulu par Nicolas Sarkozy et Rachida Dati, inscrit dans la loi sur la récidive du 10 août 2007 et modifié par celle du 14 août 2011, vise à ne plus punir crimes et délits d'une peine inférieure à certains seuils, fixés par la loi et pro-portionnels au maximum encouru. Dans son courrier, le «premier flic de France» marque également son soutien à ses troupes qui «soulignent l'inefficacité de nos pratiques actuelles de probation autant que l'inadé-quation des modes de traitement de la délinquance». Comme son «poulailler», Valls préfère «enfermer» plutôt qu'«accompagner» les récidivistes. Taubira, qui s'appuie sur des études sur le sujet, pense tout le contraire.

Appelé à la rescousse et à l'arbitrage, François Hollande est bien embarrassé. Certes, à Créteil, trois ans plus tôt, les socialistes ont défini leur doxa : «Nous nous donnerons les moyens de répondre à toutes les infractions par une sanction effective, immédiate et pro-portionnée. La récidive est le symptôme de l'échec de la réponse pénale [...]. Nous garantirons l'effectivité, la proximité et la rapidité de la sanction. Plus que sa dureté, c'est la réalité de l'exécution de la peine qui doit prévaloir.» S'appuyant sur cette bible, le candidat Hollande déclare en pleine campagne présidentielle, le 6 février 2012 : «Nous reviendrons sur les peines plan-chers qui sont non seulement contraires au principe d'individualisation des peines, mais qui, en plus, ne sont pas pertinentes.» Mais depuis qu'il s'est installé à l'Élysée, il hésite, il tergiverse. Sur France 2, le 28 mars 2013, il promet toujours de supprimer les peines planchers, «mais quand on aura trouvé un dispositif qui permet d'éviter la récidive». Finalement, Hollande, comme souvent, choisit de ne pas choisir, laissant le législateur décider et ses deux ministres s'écharper.

Le combat entre Valls et Taubira dure un an encore. Jusqu'à la promulgation de la loi du 15 août 2014, relative à l'individualisation des peines et renforçant l'efficacité des sanctions pénales. Si le texte supprime effectivement les fameuses peines planchers, il fixe à un an pour les primo-condamnés et les récidivistes le seuil d'emprisonnement permettant au juge d'aménager une peine d'emprisonnement. Et il permet aux services de police et de gendarmerie de recourir aux écoutes téléphoniques et à la géolocalisation en temps réel, afin de s'assurer que la personne condamnée respecte l'interdiction d'entrer en relation avec certaines personnes ou de paraître en certains lieux. Valls *vs* Taubira, le glaive *vs* la balance, match nul.

Si loin, si proche

En un quinquennat, la gauche n'a donc toujours pas tranché le match police-justice. Elle n'a pas réussi non plus à réconcilier les Français et leur police. Les embrassades et les «Je suis la police», au soir de l'attentat contre *Charlie Hebdo*, n'auront été qu'un feu de paille. Les zones de sécurité prioritaire qui, comme promis à Créteil, devaient permettre de «restaurer un climat de confiance» entre les forces de l'ordre et le citoyen, ont été laissées à l'abandon. Sur le papier, elles existent bien. Dans la réalité, ce n'est plus qu'illusion. «Elles ont au moins eu pour vertu de contraindre les préfets, procureurs, recteurs, bailleurs sociaux, forces de l'ordre, etc. à travailler ensemble, constate un haut fonctionnaire de Beauvau. Mais en matière d'efficacité de lutte contre la délinquance, ce n'est pas la panacée[1].» Le préfet chargé d'en assurer le suivi et le bilan n'a pas été remplacé depuis 2015. La faute aux terroristes, prétend-on à l'Intérieur. «Nous ne pouvons être sur tous les fronts.»

Ce «rapprochement des forces de l'ordre de ceux qu'elles doivent protéger en priorité» s'est également traduit par trois initiatives menées jusqu'à leur terme par les gouvernements Hollande. «Des gadgets», ont fustigé l'opposition et une partie des syndicats de police. Désormais, tout représentant des forces de l'ordre porte visible un numéro d'identification. Ce qui est censé permettre au citoyen, par exemple victime de discrimination, de porter plainte contre lui. Deuxième mesure : la création d'une plate-forme numérique où la victime peut saisir directement l'Inspection générale de la police nationale[2]. Enfin, troisième avancée : un code de déontologie commun aux policiers et gendarmes a fait son apparition le 6 décembre 2013. Un chapitre y est consacré à «la relation avec la population». On y lit ainsi : «Le policier ou le gendarme est au service de la population. Sa relation avec celle-ci est empreinte de courtoisie et requiert l'usage du vouvoiement.»

---

1. Entretien du 7 septembre 2016.
2. Lire le chapitre «Les carottes sont cuites!», p. 91.

Quelques semaines plus tôt, le 11 avril 2013, treize jeunes gens se plaignant de contrôle au faciès ont porté plainte. En juin 2015, la cour d'appel de Paris condamne l'État pour « faute lourde » concernant cinq dossiers sur treize. Elle estime disposer de « présomptions graves, précises et concordantes » qui permettent d'attester que les contrôles policiers ont été réalisés « en tenant compte de l'apparence physique et de l'appartenance, vraie ou supposée, à une ethnie ou à une race ». En octobre, au nom de l'État, le Premier ministre Manuel Valls décide de se pourvoir en cassation[1]. Le 9 novembre 2016, la discrimination a été définitivement retenue dans trois dossiers.

Mais il y a plus grave, bien plus grave. Le quinquennat de François Hollande a été marqué par deux décès à l'issue d'affrontements avec les forces de l'ordre. Celui de Rémi Fraisse, un jeune militant opposant à la construction d'un barrage à Sivens, dans le Tarn, victime d'un tir de grenade le 25 octobre 2014. Et celui d'Adama Traoré, le 19 juillet 2016, au cours d'une interpellation, à Persan, une cité du Val-d'Oise. Une chose est certaine : ni le préfet, ni son directeur de cabinet n'étaient cette nuit-là sur place pour – comme la loi l'exige – permettre aux gendarmes d'user du lancer de grenades. Un autre fait est incontestable. Le général Denis Favier, alors directeur de la Direction générale de la gendarmerie nationale, très proche de Manuel Valls[1], a adressé plusieurs messages à ses troupes présentes à Sivens. En particulier ce SMS, au commandant de

---

1. Lire le chapitre « L'étoile filante », p. 67.

la gendarmerie du Tarn : «On est attendus sur les inter-pellations[1].»

Outre ces deux décès, la gauche du gouvernement est aussi coupable du drame vécu lors d'une interpellation à Aulnay-Sous-Bois, en Seine-Saint-Denis. Lors d'un banal contrôle d'identité, le 2 février 2017, mené par quatre fonctionnaires de police, Théodore, 22 ans, est victime de violences. Conduit à l'hôpital, un médecin constate de graves lésions rectales et lui délivre soixante jours d'incapacité totale de travail[2]. Le 7 février, accompagné d'un photographe du *Parisien*, François Hollande se rend au chevet de la victime. Ce geste médiatique et symbolique suivi d'appels au calme – dont celui lancé par la victime – n'empêche pas une partie de la banlieue nord de Paris de s'embrasser pendant plusieurs jours. Comme l'analyse justement le sociologue Laurent Mucchielli, ce qui s'est passé à Aulnay, est «un classique du genre[3]» : «Tant que la nécessité de l'ordre fera taire celle de l'analyse, estime ce spécialiste des phénomènes de délinquance, tant que l'institution policière continuera de former et d'envoyer sur le terrain le même type de policiers et tant que les habitant des quartiers pauvres seront enfermés dans les mêmes problèmes, on

---

1. Le 11 janvier 2017, les juges toulousains ont conclu leur enquête sans mise en examen. Deux nouvelles plaintes ont été déposées par la famille de Rémi Fraisse. Elles visent le préfet, son directeur de cabinet et des gendarmes.

2. Une enquête judiciaire a été ouverte à Bobigny. Elle vise notamment des faits de «viol». Une enquête administrative a été confié à l'IGPN. La police des polices estime que «la blessure n'est pas intentionnelle [...]. Il y a eu un geste violent et disproportionné.» Et donc pas de viol.

3. *Le Monde*, 12 et 13 février 2017.

peut prédire sans risque qu'il y aura beaucoup d'autres Aulnay-sous-Bois. »

« Nous redonnerons toute sa place à l'esprit de responsabilité et d'initiative chez l'ensemble des fonctionnaires, en restaurant leur capacité d'engagement pour la résolution des conflits et l'aplanissement des difficultés entre citoyens, promettait en novembre 2010 le pacte national de protection et de sécurité publique né du Forum de Créteil. Il est urgent de redonner du sens à l'action des forces de sécurité. » Sur cet aspect comme sur beaucoup d'autres, les responsables du Parti socialiste s'interrogent : « Où en sont nos promesses ? » C'est le cas de Stéphane Crottès, un fonctionnaire du ministère de l'Intérieur et secrétaire de section du PS place Beauvau. Le 15 octobre 2015, il adresse une lettre à Jean-Christophe Cambadélis, le Premier secrétaire du parti. Il s'étonne que le poste de secrétaire national à la sécurité ait été longtemps vacant, que la commission nationale du parti, censée faire le bilan de ce que le gouvernement a entrepris et formuler d'autres propositions pour la présidentielle de 2017, ne se soit pas réunie depuis... le 19 janvier 2015 ! Crottès écrit : « Les socialistes ont payé un fort tribut politique quelques mois avant la présidentielle de 2002. Nous avons été taxés de laxistes et continuerons d'être traités de permissifs. Avons-nous le droit de l'ignorer ? [...] Avons-nous le droit, nous Parti socialiste, d'être absents du débat de la sécurité intérieure tant dans notre "maison" qu'avec le gouvernement ? » Au nom de ses camarades, le militant suggère de créer une « task force sécurité capable de proposer des réponses dans l'urgence » et de réunir des « Assises de la sécurité dans l'esprit du Forum de Créteil qui avait marqué les esprits et sorti la gauche de son image d'angélisme ».

Dix-huit mois plus tard, cette lettre de deux pages est toujours sans réponse.

12

L'autre espion du Président

Il y a quelques heures, des terroristes viennent de commettre un carnage successivement aux abords du Stade de France, à la terrasse de plusieurs bars de l'Est parisien, puis, enfin, au Bataclan. François Hollande ouvre un de ses fameux Conseils restreints de sécurité de défense, dont la plupart des Français ont découvert l'existence à la faveur des attentats de 2015 et 2016. Dans le salon Vert de l'Élysée, qui jouxte le bureau du chef de l'État, quelques ministres ont pris place autour de la longue table ovale. Les visages sont marqués par la fatigue comme par la gravité du moment. Manuel Valls fait face au Président. Le Premier ministre est entouré de la garde des Sceaux, Christiane Taubira, et du ministre de l'Intérieur, Bernard Cazeneuve. Leurs collègues de la Défense et des Affaires étrangères, Jean-Yves Le Drian et Laurent Fabius, sont également présents. Le chef de l'État est, lui, entouré de ses principaux collaborateurs : son secrétaire général, son directeur de cabinet. Le préfet de police de Paris est là aussi. Et puis, à un bout de table, les patrons des services. Parmi eux Patrick Calvar, directeur général du renseignement intérieur (DGSI) et Bernard Bajolet, son homologue de la Direction générale des services extérieurs (DGSE). C'est à ces deux-là que François Hollande s'adresse en leur demandant de faire le point sur l'enquête. «Ce moment était étonnant, se souvient un des participants. Patrick Calvar n'a pratiquement rien dit. Et lorsqu'il s'est exprimé, je ne suis pas certain que tout le monde l'ait entendu autour de la table. Il marmonnait comme Bernard Squarcini, son prédécesseur, le faisait. En revanche, Bernard Bajolet parlait fort et clair, comme on dit dans les communications à l'armée. Il nous a délivré tout le pedigree d'Abdelhamid Abaaoud, le commandant opérationnel des attentats qui était alors activement recherché[1]. C'était net et précis et n'appelait aucun commentaire.» Un autre témoin de ce moment particulier dans l'histoire du quinquennat confirme et ajoute : «J'ai mesuré ce jour-là à quel point la DGSE avait supplanté la DGSI sur la scène intérieure.»

François Hollande a beaucoup œuvré pour cela. Non pas seulement pour détricoter ce que son prédécesseur avait façonné : c'est Nicolas Sarkozy qui, en 2008, a créé la Direction centrale du renseignement intérieur (devenue DGSI en 2013), en fusionnant les RG et la DST. Mais aussi par choix : «C'est une question de confiance, confie un ministre. Et, très important, une question d'hommes.» C'est ce qui est apparu à plus d'une reprise dans le huis clos du salon Vert. Lors de ses Conseils restreints de sécurité et de défense,

---

1. Réfugié dans une de ses planques, un appartement à Saint-Denis, il trouve la mort, le 18 novembre 2015, avec deux des complices lors de l'assaut du RAID.

soucieux du protocole et du rôle de chacun, le chef de l'État vouvoie ses ministres, malgré une amitié ancienne et une proximité réelle. Il leur donne également du «Monsieur – ou Madame – le ministre». Lorsqu'il interpelle Bajolet, c'est toujours par son prénom et en le tutoyant. «Leur confiance mutuelle et leur complicité sont évidentes», témoigne un des proches du chef de l'État. En un quinquennat, Bajolet est devenu l'autre «espion du Président[1]». Il est à Hollande ce que Squarcini était à Sarkozy, la faconde en moins, la rigueur et le courage en plus. L'un était flic de renseignement, amateur de coups tordus. L'autre est un diplomate, expert en rapport de force.

Retour au bercail

«François» et «Bernard» se connaissent depuis 1978. Le premier a vingt-quatre ans, lorsqu'il débarque en Algérie. Il vient pour y effectuer son stage de l'ENA, en immersion huit mois durant à l'ambassade de France d'Alger la blanche. C'est le diplomate, de cinq ans son aîné, qui accueille et prend en main le jeune homme. Bajolet vient de sortir de l'ENA, promotion Léon-Blum, la même que celle de Martine Aubry, Alain Minc, Pascal Lamy ou Bernard Boucault, préfet de police de Paris au moment des attentats. «Il était atypique, se souvient ce dernier. Pas militant mais progressiste, il

---

1. En référence à l'ouvrage éponyme, consacré à Squarcini et à la police politique au service de Sarkozy, signé des trois auteurs, Robert Laffont, 2012.

tenait à sa liberté. Il y tient toujours, d'ailleurs. C'est un grand serviteur de l'État et la diplomatie est sa vocation première. » Alger, c'est son premier poste. Il y exerce les fonctions de secrétaire général de l'ambassade. Diplomate, il est chargé de faire tourner la boutique et de... cornaquer les stagiaires ! Moins de vingt ans après l'indépendance, le poste est ultra-sensible. « Ni l'un ni l'autre ne sont très diserts sur leur séjour commun à Alger, précise un de leurs proches communs. François m'a juste dit un jour qu'il avait beaucoup appris. Je suis sûr que c'est à la faveur de ce stage qu'il a pris goût au renseignement. » Malgré les aléas des parcours respectifs et des vies privées, les deux hommes ne se quitteront plus.

L'Élysée, BB s'y est installé avant Hollande. C'est le président Sarkozy qui l'y a fait venir. Le 21 juillet 2008, le diplomate arrive d'Alger, où il exerçait cette fois les fonctions d'ambassadeur. Auparavant, le diplomate arabophone avait écumé tout le Proche- et Moyen-Orient (Damas, Amman, Bagdad) avec une incursion à Sarajevo, en Bosnie. « Bernard aime prendre des risques, résume un vieil ami. Il a toujours eu un côté baroudeur très à son aise dans l'Orient compliqué. » « Il est perpétuellement stressé, ajoute un de ses officiers. Il n'a pas de vie. Il se fait dicter son agenda par le politique. Il est tout maigre, comme rongé, il se consume de l'intérieur. Il aurait besoin de s'allonger sur un divan... » Lors de son séjour en Irak, entre 2003 et 2006, il contribue très activement à la libération de trois journalistes retenus en otage : Christian Chesnot, Georges Malbrunot puis Florence Aubenas. Dans sa biographie officielle, diffusée par « la boîte » – un des surnoms de la DGSE –, on lit : «Il travaillera, à cette occasion, en étroite relation avec les services de renseignement chargés de trouver une issue à ces enlèvements.» Le «diplo» a conquis ses galons d'«espion». Un CV parfait pour que Sarkozy choisisse de faire de l'ami de Hollande le premier coordinateur national du renseignement. Le Président a fait l'article à l'ambassadeur, lui promettant d'être l'équivalent du conseiller de sécurité nationale du président des États-Unis. Une sorte de bras droit qui oriente les décisions stratégiques et géopolitiques. Comme déclarer la guerre ou pas, par exemple.

Depuis son bureau, situé au 14, rue de l'Élysée, dans une annexe du Château, Bajolet, fils d'ingénieur lorrain, va vite déchanter. C'est à un autre type de guerre qu'il va prendre part, bien malgré lui. Un conflit entre ego et services. «La firme» – les policiers proches de Sarkozy – lui mène la vie dure. Parce qu'ils le redoutent, les Sarkoboys ne lui laissent aucune marge de manœuvre, ni la moindre initiative. Le voilà dévolu à un rôle de simple rond-de-cuir. Lui qui ambitionnait de piloter nos barbouzes regrette lors de son audition à l'Assemblée nationale le 31 mars 2009 : «Je ne suis pas le directeur général des services et je n'ai pas d'autorité hiérarchique sur les directeurs de ces derniers.» Il sue même sang et eau pour mettre de l'huile dans les rouages entre les rivaux du renseignement qui s'affrontent : la DGSE et la DCRI. Il obtient tout de même des deux maisons qu'elles acceptent dans leurs murs un fonctionnaire venant de celle d'en face. Mais ces «officiers de liaison» – des postes qui existent encore aujourd'hui – pèsent peu par rapport à des patrons comme Érard Corbin de Mangoux et Bernard Squarcini.

De guerre lasse, Bajolet, pourtant dur à cuire, rend les armes. Sa bio officielle note sans détour qu'il «éprouve les frustrations liées à la culture de cour». Il quitte l'Élysée et la Sarkozie en février 2011 pour retrouver son premier métier : ambassadeur. Et déboule à Kaboul. C'est depuis la capitale de l'Afghanistan qu'il apprend l'élection de François Hollande, le 6 mai 2012. Un journaliste qui passe par là lui demande s'il redoute ce changement à la tête de l'État. Dans un sourire éclairant son visage émacié, l'ambassadeur répond : «Ça va très bien se passer, je l'ai connu jeune énarque et l'ai reçu en stage à Alger.» Puis il sourit à nouveau. Le lendemain, il décroche son téléphone pour féliciter l'heureux élu et l'invite à lui rendre visite. Ce sera chose faite dix jours après son investiture, à l'occasion du quatrième déplacement à l'étranger du nouvel élu, après Berlin, Chicago et Bruxelles. La visite présidentielle n'avait pas été inscrite à l'agenda officiel. François Hollande reste sur place une journée entière. Il confirme une promesse de campagne : le retrait progressif des troupes. «Les retrouvailles avec Bajolet furent étranges, se souvient un témoin. Les deux hommes étaient visiblement ravis de se retrouver, multipliant les gestes d'affection. Ils ont eu un long tête-à-tête. Sur le fond, leur désaccord était patent.» De fait, le nouveau chef de l'État tient à honorer une promesse de campagne : le retrait d'ici fin 2012 des trois mille six cents soldats français en poste en Afghanistan. L'ambassadeur conseille, lui, plutôt un départ «en sifflet», sur le long terme. Il y va de l'influence de la France dans la région, plaide-t-il. En vain.

216

L'épreuve du feu

Il en faut davantage pour brouiller les deux amis. Neuf mois après leurs retrouvailles, Hollande appelle son ami à le rejoindre à l'Élysée. En Conseil des ministres, le 10 avril 2013, il nomme Bernard Bajolet directeur général de la sécurité extérieure. Depuis ce moment-là, leur complicité s'éprouve au quotidien. Lorsqu'ils ne se téléphonent pas, Bajolet fait le déplacement depuis la caserne Mortier jusqu'au Château. Parfois plusieurs fois par jour. Mais, chaque fois, fort discrètement. «Je ne l'apercevais que rarement, témoigne Aquilino Morelle qui a été le conseiller politique le plus proche du chef de l'État. Parfois j'apprenais après son départ qu'il était venu. Souvent je ne l'ai même pas su.» Le fantôme de l'Élysée. Un autre collaborateur du chef de l'État ajoute, malicieux : «Il est souvent là. Mais il a d'autres fréquentations... Plus ou moins bonnes!» Bajolet a ainsi été aperçu à Matignon comme à Beauvau. À l'Hôtel de Brienne aussi. Ce qui dans ce cas n'a rien d'étonnant : la DGSE est sous la tutelle du ministère de la Défense. Pourtant, les relations entre Bajolet et Le Drian comme avec son directeur de cabinet Cédric Lewandowski, auraient parfois viré à «l'hystérie», selon un éminent collaborateur du chef de l'État. Lequel[1] explique : «François a donné son autonomie à la boîte. Jean-Yves voulait garder l'outil pour lui.» Cette rivalité s'est manifestée à plusieurs reprises lors des règlements de prises d'otages. Ce fut le

---

1. Entretien du 28 novembre 2016.

cas en novembre 2013, lors de la libération de quatre personnes retenues au Niger. Bajolet voulait régler l'affaire seul. Le Drian l'a doublé. Les deux hommes activant chacun leurs propres réseaux, négociant avec leurs propres intermédiaires au risque de faire capoter l'affaire[1]. Interrogé par un des auteurs sur les raisons de cette rivalité, François Hollande répond[2] : «Vous les connaissez ? Allez leur demander !» Surtout ne pas s'en mêler.

Le Drian, lui, s'en mêle. Après tout, c'est lui et non le chef de l'État le patron direct des six mille espions de la DGSE[3]. C'est lui qui, grâce au budget de son ministère, les nourrit et les entretient. En 2015-2016, la manne annuelle officielle atteignait les 700 millions d'euros. Pour tenter d'affaiblir cet «État dans l'État», le ministre manœuvre sur deux fronts simultanément. Il octroie des moyens supplémentaires à la Direction du renseignement militaire chargée de rapporter de bonnes informations. Et il transfère une bonne partie des gars du Service action de la boîte – ceux qui libèrent les otages, notamment – sous le commandement direct des Forces spéciales, donc de l'Armée.

De son côté, Bajolet continue de faire le job comme si de rien n'était. Pour que les choses soient claires, il

---

1. Lire à ce sujet *Agent secret*, de Jean-Marc Gadoullet, ancien colonel de la DGSE et acteur majeur de cette libération, Robert Laffont, 2016.

2. 21 juin 2016.

3. Précisément 5 208 équivalents temps pleins au 31 décembre 2014, selon les documents budgétaires. En augmentation constante de + 15 % dans les dix dernières années.

précise à qui veut l'entendre[1] que «la DGSE dispose d'un statut spécial qui lui assure une grande autonomie dans sa gestion comme dans ses opérations». Certain plus que jamais que la relation qu'il nourrit avec le chef de l'État est plus forte que les crocs-en-jambe et les chausse-trapes.

Une nouvelle épreuve du feu rapproche les deux hommes. Elle a été relatée à un des auteurs par le chef de l'État[2]. Dans la nuit du 11 au 12 janvier 2013, vers 3 heures du matin, François Hollande est tiré de son sommeil par un coup de téléphone de Bernard Bajolet. Lui se trouve boulevard Mortier, dans la salle de commandement. L'opération destinée à délivrer un adjudant-chef de la DGSE retenu en otage depuis le 14 juillet 2009 dans le Sud-Ouest somalien vient de commencer. Denis Allex – son pseudonyme dans la boîte – n'y survivra pas. «C'est un souvenir terrible, raconte le Président. Tout allait bien jusqu'à ce qu'un de nos agents trébuche malencontreusement sur un garde. L'effet de surprise escompté n'a pas eu lieu. Et notre otage a été exécuté. Bajolet m'a prévenu vers 5 heures du matin. Il m'a également appris que deux militaires du Service action avaient payé de leur vie en tentant de libérer leur camarade.» Quinze jours plus tard, lors d'une cérémonie d'hommage, à Perpignan, où l'accompagne Bernard Bajolet, il rencontre certains d'entre eux. «Tous m'ont dit : "Il fallait y aller."»

---

1. *La Revue* de l'ENA, juin 2014.
2. 21 juin 2016. Lire à ce propos le récit de François Hollande dans *« Un président ne devrait pas dire ça »*..., *op. cit.* et *Erreurs fatales* de Vincent Nouzille, Fayard, 2017.

Débordement à l'intérieur

Cette dramatique issue n'altère pas la confiance entre le Président et son espion. Alors que la ligne de partage est claire et nette entre la DGSI et la DGSE, Hollande va brouiller les lignes renforçant le pouvoir des hommes de Bajolet sur la scène intérieure. Schématiquement, les policiers de Levallois surveillent et interviennent à l'intérieur de nos frontières, les militaires de Mortier à l'extérieur. Évidemment, ce n'est pas si simple. Les terroristes venus de l'étranger en France ne sont pas lâchés par les espions de la boîte lorsqu'ils passent le Rhin ou arrivent à Roissy, par exemple. À l'inverse, les gars du renseignement intérieur continuent de filer des suspects qui se carapatent à l'étranger. La logique et le bon fonctionnement de l'État voudraient que, dans l'un et l'autre cas, les deux maisons coopèrent, que leurs patrons respectifs se parlent.

C'est que, là encore, les querelles de chapelle et les guéguerres d'ego prennent parfois le pas sur l'intérêt supérieur du pays. La DGSE n'a ainsi pas du tout apprécié que des bonshommes de la maison d'en face aillent sans prévenir s'encanailler en Bulgarie. C'était en septembre 2013. Officiellement, ils y séjournaient pour « un exercice ». Manque de chance, durant leur séjour, un kamikaze fait sauter un bus de touristes israéliens. Bilan : six morts et une trentaine de blessés. Les agents de la DGSI rendent compte aussitôt à leur hiérarchie de ce qu'ils ont vu et entendu sur place. Parvenue à leur état-major, le « blanc » classé confidentiel-défense est passé à la broyeuse ! Et, forcément, les militaires de

Mortier n'ont pas été avisés. Une manœuvre de destruction involontaire et malencontreuse, plaidera Calvar auprès de Bajolet. Manifestement sans le convaincre.

À l'inverse, les militaires de la DGSE ont investi le champ corse. Au grand dam de leurs rivaux, ils ont œuvré largement pour tenter de démanteler l'empire franco-africain de Michel Tomi[1]. À plusieurs reprises, chacun de leur côté, René Bailly et Bernard Petit – respectivement patrons du renseignement et de la police judiciaire à la préfecture de Paris –, en charge de l'enquête, ont eu des « briefings » avec l'état-major de Mortier. Ce que confirme l'ancien préfet de Paris, Bernard Boucault : « Oui, c'est vrai, nous avons mutualisé des informations. Je connais Bernard Bajolet depuis l'ENA, ça a incontestablement facilité les choses. »

François Hollande a lui-même permis cette coopération, plaidant pour « une transversalité de l'action » en matière de lutte contre le terrorisme. À Gérard Davet et Fabrice Lhomme, il apporte cette précision : « Il y a ce que la DGSE fait à l'extérieur, avec ses propres méthodes, mais là, si je puis dire, c'est son travail. Ce qu'elle fait à l'intérieur, si tant est qu'elle le fasse, elle doit absolument le déclarer. Dès que ça touche une personne française, on retombe sur les règles du droit français. » Les frontières, jusque-là imperméables entre DGSE et DGSI, semblent être définitivement tombées.

Une autre de ces frontières s'effondre également durant ce quinquennat : celle de la communication et de l'image. Alors que la DGSI rechigne à faire parler d'elle, la DGSE ne s'en est pas privée. Elle s'est d'abord

---

1. Lire le chapitre « Opération Minotaure », p. 147.

dotée d'un porte-parole, alors que «les cousins» de Levallois n'en disposent pas. Lequel a été chargé, directement par Bajolet, de monter des opérations à la gloire de la boîte. La série diffusée par Canal Plus et consacrée au «Bureau des légendes» procède de cette volonté. «Éric Rochant, le réalisateur, est venu nous trouver pour nous faire part de son projet, se souvient un des tauliers de la boîte. Nous en avons rendu compte au patron. Lequel a donné son accord à deux conditions : que le film ne porte pas atteinte à l'honneur de la maison et que les missions qui nous sont prêtées relèvent effectivement de nos compétences.» Et il ajoute, sourire aux lèvres : «Il a été dur à convaincre. Mais on a trouvé l'argument. Très *old school*, il ignorait que le téléspectateur pouvait télécharger des séries. L'aspect viral permettant de propager le mythe DGSE l'a séduit.» Plus classique, les hommes de Mortier ont permis la publication d'articles tout à leur gloire. Comme ce publireportage d'une quinzaine de pages, nombreuses photos à l'appui, dans *Le Figaro Magazine*[1] et consacré à «une immersion exceptionnelle» avec «ces héros de l'ombre qui ne défileront jamais le 14-Juillet» (*sic*). On n'y trouve pas un mot, évidemment, sur les barbouzeries en tout genre du Service action. Une contre-offensive menée, après la publication quelques jours plus tôt, d'une enquête dans *Le Monde*[2] consacrée au «Big Brother français». On y lit que «la Direction générale de la sécurité extérieure collecte systématiquement les signaux électromagnétiques

---

1. 11 juillet 2014.
2. 4 juillet 2014.

émis par les ordinateurs ou les téléphones en France, tout comme les flux entre les Français et l'étranger : la totalité de nos communications sont espionnées».

Bajolet, c'est le moins qu'on puisse écrire, n'a pas apprécié. Comme il ne goûte guère que d'aucuns s'emploient à remettre en cause l'exclusivité de sa relation avec le chef de l'État. Il a ainsi réussi à mettre sous l'éteignoir le coordinateur national du renseignement, le sevrant d'informations[1]. L'un d'eux[2] confie : «Je ne savais rien. Ou pas grand-chose. J'apprenais les choses lors des réunions du salon Vert.» Le patron de la DGSE qui avait échoué à faire de ce poste celui du bras droit du chef de l'État a tout fait pour que ses successeurs n'y parviennent pas non plus. Il a même proposé à Hollande de supprimer la fonction et de confier cette responsabilité de coordination au directeur de cabinet de l'Élysée.

Parvenus au pouvoir ensemble, Hollande et Bajolet le quitteront de manière quasi simultanée. En octobre 2015, lors de l'examen au Sénat du projet de loi sur la déontologie de la fonction publique, le gouvernement – par la bouche de Marylise Lebranchu – glisse très discrètement un amendement prévoyant que «les fonctionnaires occupant un des emplois supérieurs participant directement à la défense des intérêts fondamentaux de la nation et figurant sur une liste fixée par décret en Conseil d'État» peuvent être prolongés «d'une année supplémentaire». La loi est promulguée le 20 avril 2016.

---

1. Durant le quinquennat de François Hollande, ils ont été quatre à se succéder à ce poste : Ange Mancini, Alain Zabulon, Didier Le Bret et Yann Jounot.

2. Entretien du 15 novembre 2016.

Juste à temps : sans elle, Bernard Bajolet, atteint par la limite d'âge, devait quitter ses fonctions le 21 mai suivant. Son sursis d'un an, il le doit évidemment au chef de l'État et à une entorse à son principe électoral de « République irréprochable ».

13

Bleu Marine

Monsieur le préfet craint de s'ennuyer. La présidentielle va avoir lieu dans dix-huit mois. Et malheureusement, dans quelques petites semaines seulement, il va devoir raccrocher définitivement après de «bons et loyaux services» rendus à la maison police. Le sexagénaire, à l'allure massive et aux yeux toujours cernés de noir qui lui valent le doux surnom de «Panda», a débuté son incroyable carrière à l'Intérieur comme... pompier. Puis il a préféré la matraque à la lance, devenant simple gardien de la paix avant de gravir tous les échelons de la maison poulaga. Il a même rêvé un temps de devenir, peut-être pas ministre, mais au moins secrétaire d'État chargé de la Sécurité intérieure. Pas difficile, il se serait même contenté d'un poste de préfet de police de Paris, ou encore de directeur général de la police. Ce n'est pas faute d'avoir intrigué, d'avoir tout tenté pour être en cour. À droite comme à gauche d'ailleurs. Car monsieur le préfet sert d'abord la République. Ce qui, pour lui, signifie être sarkoziste sous Sarkozy et vallsiste sous Valls. Mais le temps a passé et celui de la retraite, à plusieurs reprises repoussé grâce à des passe-droits législatifs[1], est arrivé. Monsieur le préfet doit penser à sa reconversion. Avec son CV long comme un tonfa de CRS (il les a commandés) et son carnet d'adresses épais comme le *Who's Who*, il n'aura pas de mal à être recruté comme «Monsieur sécurité» par une entreprise privée. Manière d'arrondir des fins de mois qui n'ont vraiment pas besoin de l'être. Et surtout, surtout, de ne pas s'ennuyer. Totalement insatiable, il a la réputation – justifiée – d'être un acharné du boulot. Lorsqu'il était préfet en Seine-Saint-Denis, il était au bureau dès 6 heures du matin et tournait parfois, la nuit, avec les flics des brigades anticriminalité ou effectuait des descentes impromptues dans des commissariats de quartier. Bref, à la pêche à la ligne du retraité lambda, le Panda préfère continuer d'aller à la chasse. Et au gros.

C'est pourquoi en cet été 2015, à quelques semaines de raccrocher définitivement son holster au portemanteau, le préfet Christian Lambert – c'est son nom – fait une offre de service incroyable. Comme tout le monde, il lit les journaux et regarde la télévision. Il sait que le Front national s'est installé définitivement dans le paysage politique. Il sait aussi, pour écouter ce que disent ses collègues de la haute fonction publique comme les flicards de base, que la députée européenne a la cote. Non seulement dans la maison poulaga, comme les élections intermédiaires l'ont montré : aux régionales,

---

1. En mai 2011, le Parlement adopte en urgence un dispositif permettant à un fonctionnaire titulaire d'un «emploi à la décision du gouvernement» de lever la limite d'âge fixée à soixante-cinq ans et de travailler deux ans supplémentaires. Cette loi a été baptisée du nom de notre préfet qui a eu soixante-cinq ans le 5 juin 2011.

selon le Centre d'études de la vie politique française (Cevipof), plus d'un flic sur deux (51,5 %) a voté FN contre 30 % lors de la présidentielle de 2012 ; mais aussi dans tout le pays : Marine Le Pen peut être qualifiée pour le second tour de la présidentielle. C'est donc à l'extrême droite qu'il faut se vendre. Par un intermédiaire policier, Lambert prend contact avec Gilbert Collard, l'avocat devenu l'un des deux députés du Front national. Les deux hommes ne se connaissent pas. Ils finissent par se rencontrer très discrètement à Paris. Le Panda déroule alors son offre de service : le pays est en lambeaux, au bord de la guerre civile, il faut un État fort et sécuritaire. Et il conclut : «Je suis à votre disposition», ne trahissant pas sa réputation de Bob Denard, mercenaire de la République, dont l'ont affublé ses anciens amis sarkozystes. Collard a promis de faire signe à son nouvel ami.

Cette rencontre qui nous a été racontée par plusieurs témoins, Christian Lambert ne nous l'a pas confirmée. En revanche, lorsque nous avons interrogé Gilbert Collard à ce propos, il nous a répondu : «Vous êtes bien renseignés. Mais vous comprendrez que je ne peux vous confirmer cette information. Ni l'infirmer[1].»

Du front...

Bob Denard n'est pas allé frapper à n'importe quelle porte. Il connaît le goût de l'avocat – longtemps considéré comme un bouffeur de flics dans les prétoires –

---

1. Entretien du 21 janvier 2017.

pour les questions de sécurité. Selon un membre de l'état-major frontiste, Collard ambitionne même de revêtir l'uniforme de premier flic de France, en cas de victoire de sa championne en mai 2017. Le 18 mai 2016, sur le coup de midi, le secrétaire général du Rassemblement Bleu Marine est allé mesurer sa cote de popularité auprès de la troupe. Ce jour-là, le syndicat Alliance – classé à droite – a appelé ses adhérents gardiens de la paix à manifester place de la République à Paris. Le rassemblement est solidement encadré par des escadrons de gendarmes mobiles qui ont cadenassé l'esplanade, réservée jusqu'alors aux happenings des manifestants du mouvement Nuit debout. Lorsqu'il arrive sur place, l'avocat est salué par quelques bravos sonores. Il faut dire qu'il n'est pas venu seul : Marion Maréchal-Le Pen, l'autre députée d'extrême droite, l'accompagne. Ou plutôt, c'est lui qui accompagne la jeune femme. Parfois, les manifestants le prennent pour son garde du corps. L'accueil est cependant favorable aux deux parlementaires : autographes ici, selfies là, bise parfois. Et l'agitation autour d'elle et lui est bien plus spectaculaire que l'accueil poli réservé à d'autres élus. Parmi lesquels Éric Ciotti, Nicolas Dupont-Aignan ou encore Geoffroy Didier. Ces champions de la droite et du «tout sécuritaire» passent quasiment inaperçus.

Bien sûr, la présence de Collard, Marine Le Pen et consorts ce jour-là relève du calcul électoral. Les poulets sont en colère. Enfin, une petite partie d'entre eux. Le syndicat Alliance appelle ses adhérents à manifester contre «la haine des flics». Les fonctionnaires en ont assez de se faire insulter et frapper dans les manifs alors qu'au lendemain des attentats contre *Charlie Hebdo*, la France entière leur faisait des bisous.

L'entreprise de séduction frontiste se poursuit un mois plus tard. Mais cette fois sur le parvis des Droits-de-l'Homme, au Trocadéro, face à la tour Eiffel. Ce 20 juin 2016, le FN rend hommage aux deux policiers tués par un djihadiste à Magnanville. Au cours de ce rassemblement, un policier – suspendu à la suite d'une plainte pour provocation à la haine raciale et religieuse – prend la parole. Il flingue à la fois François Hollande et Nicolas Sarkozy, conjointement responsables, selon lui, d'avoir mis la police dans «une situation catastrophique». Sébastien Jallamion appelle ses collègues «à la résistance» (*sic*) et «à se départir de leur obligation de réserve de manière à informer les électeurs» qu'ils ne doivent pas se tromper en 2017. Derrière lui, Marine Le Pen jubile.

... à la fronde

À la sortie de l'été, le malaise des policiers s'amplifie. Pourtant leurs syndicats viennent d'obtenir du gouvernement Valls bien plus qu'ils ne pouvaient l'espérer et qu'aucun autre gouvernement ne leur a donné. Les 11 et 12 avril, ils signent à Beauvau, puis à l'Élysée, un protocole «pour la valorisation des carrières, des compétences et des métiers». Avec à la clef un très gros chèque de 865 millions d'euros. Mais cette manne ne calme pas la base. Un événement va même exacerber leur colère et déclencher un mouvement inédit par son ampleur. Le 8 octobre, à Viry-Châtillon, dans l'Essonne,

quatre policiers en faction dans leurs voitures surveillent une caméra installée près d'un carrefour.
L'endroit est réputé dangereux : plusieurs vols avec
violences sur des automobilistes y ont eu lieu. Quand
soudain, une quinzaine d'assaillants mettent le feu à
l'un des véhicules de police. Deux agents sont grève-
ment brûlés[1]. Dans un premier temps, des «collègues»
manifestent sagement leur solidarité avec les blessés.
Puis, comme une traînée de poudre grâce aux réseaux
sociaux, le mouvement s'amplifie. Pêle-mêle, les flics
disent en avoir assez de leurs conditions de travail qui
se dégradent, assez d'une justice qui ne punit pas suffisamment, assez d'être les mal-aimés de la société, assez
d'être snobés par leurs représentants, assez d'être
incompris par leurs chefs. Des rassemblements sponta-
nés ont lieu alors partout en France, jusqu'aux portes de
l'Élysée où un escadron de gendarmes mobiles dépê-
chés à la hâte les attend. Les poulets manifestent parfois
en tenue, armés, usant de leurs véhicules de fonction,
activant le deux-tons et les gyrophares. Ce qui est totalement contraire au devoir de réserve que leur impose la
loi. «En tenue ou en civil, on s'en fout, nous affirme
alors un des initiateurs de ce mouvement, gardien de la
paix dans une brigade anticriminalité dans l'Essonne :
on va manifester encore et encore, chaque jour s'il le
faut. On en a juste marre du système. Celui de la hiérarchie, celui des syndicats.»

---

1. Deux juges d'instruction ont été chargés de faire la lumière
sur ces événements. Une première vague d'arrestations, suivies de
mises en examen, a eu lieu en janvier 2017. L'enquête est toujours
en cours.

Marine Le Pen, comme des millions de Français, va réellement prendre conscience du malaise en regardant le 20 heures du 18 octobre. Les téléspectateurs découvrent presque en direct la voiture du directeur général de la police nationale secouée par des manifestants. Et la berline de tenter d'échapper à la vindicte, aux coups de pied contre la carrosserie, aux coups de poids contre les pare-brise. Jamais un chef flic ne s'était fait prendre à partie de pareille façon par la base. Jean-Marc Falcone vient de passer plusieurs heures au commissariat de Viry-Châtillon pour tenter de calmer la fronde. Sans succès : à sa sortie, il se fait invectiver, les policiers réclament sa tête. Ils n'ont pas du tout apprécié que le préfet saisisse l'Inspection générale de la police nationale (IGPN)[1] et promettent des «sanctions» contre les meneurs. De retour à Beauvau, Falcone rend compte de la situation à Cazeneuve. Le ministre lui reproche vertement «une faute de communication». Et tente de reprendre les choses en main, multipliant les interventions médiatiques, précisant même lors d'un point de presse impromptu : «Si j'ai accepté de saisir l'IGPN, ce n'est pas pour entrer dans un cycle de sanctions mais pour rappeler des principes.» À un proche cependant, le ministre aurait avoué son impuissance doublée d'une inquiétude : «Je ne sais pas comment tout cela va finir.»

---

1. Lire le chapitre «Les carottes sont cuites!», p. 91.

Noyautage extrême

À l'état-major du Front national, on s'emploie à ce que cela finisse par payer dans les urnes. D'autant qu'après plusieurs tentatives passées, le FN ne fait pas recette auprès des syndicats. Aux élections professionnelles de 2014, le syndicat France Police – dirigé par l'ancien conseiller sécurité de Le Pen et de Philippe de Villiers – n'a pas franchi la barre des 1 %. Quant à la Fédération professionnelle indépendante de la police, elle plafonne à 3,3 % et ne compte aucun élu dans les instances représentatives. La chef voit dans le mouvement des policiers en colère l'opportunité d'enfin percer. Elle lance alors une opération séduction. Astucieusement, elle utilise les mêmes moyens que les manifestants pour communiquer. Sur Facebook, elle délivre ainsi un message vidéo de six minutes. Visage grave, voix solennelle, la candidate à la présidentielle assure aux flics : « Votre mécontentement n'est pas seulement légitime, il est sain. » En vingt-quatre heures, ce discours est visionné plus de cint cent cinquante mille fois. Parallèlement, les cadres de la formation d'extrême droite sont appelés à afficher sur leur compte Twitter le hashtag « #JeSoutiensLaPolice ». Collard en rajoute écrivant : « J'apporte sans restriction mon soutien aux revendications légitimes des policiers, victimes de leur devoir, méprisés par leurs hiérarchies qui les regardent comme des "consommables" sans considération aucune ni le moindre respect pour ces femmes et ces hommes dévoués au bien public... »

Message bien reçu. Quelques jours plus tard, en effet, le 24 octobre, la manifestation nocturne des policiers en colère aboutit au pied de la statue dorée de Jeanne d'Arc, près des Tuileries à Paris. Et, comme les Le Pen père et fille chaque 1er-Mai, ils entonnent une *Marseillaise*. Le 26 octobre, à Bayonne, des militants frontistes s'affichent aux côtés des manifestants policiers, distribuant des tracts «Je soutiens la police» aux couleurs tricolores. Ce même jour, un visage truste les écrans de télé. Un trentenaire, crâne rasé, barbe naissante, plutôt beau gosse, s'exprime visage découvert face aux caméras. Jusqu'à présent, par peur de la sanction administrative, les manifestants s'exprimaient masqués. Les chaînes d'info en continu tiennent enfin le bon client, susceptible d'incarner le mouvement. «Y en a marre! lance le flic. On ne veut plus discuter, on ne veut plus des syndicats, on ne veut plus des politiques, maintenant, ils vont la fermer et ils vont nous écouter!» Les applaudissements fusent. Beauvau ne tarde pas à identifier le meneur. En réalité, Rodolphe Schwartz n'est pas policier. Ce n'est pas faute d'avoir essayé : il a passé et raté plusieurs fois le concours de gardien de la paix. Il s'est reconverti dans la sécurité privée, comme vigile. Il a également été candidat aux municipales de 2014 sur la liste du FN à Paris. L'année précédente, il déclarait à l'hebdomadaire *Marianne* : «Je n'appartiens à aucun parti, mais nous, les policiers de terrain, on est plus extrême droite. Quand on écoute Marine Le Pen, on se dit qu'elle a raison sur la sécurité. Il faut durcir les lois.»

Robert Paturel lui est bien flic. Ou plutôt l'a été. À soixante-quatre piges «le Gorille» a raccroché les gants depuis belle lurette. Champion de France de boxe, membre du RAID, mâchoires carrées, yeux bleus sous panache blanc, il affiche des états de service sans tache. Alors que le mouvement des policiers en colère cherche à se structurer, il affirme que « des jeunes policiers ont fait appel à lui » pour en devenir le porte-parole. « Si je peux être utile... » Mais pas forcément désintéressé. En effet, « Bob », qui se présente à ses jeunes collègues comme « apolitique » et « sans étiquette syndicale », n'est pas vraiment l'oie blanche qu'il prétend être. Les manifestants s'en rendent vite compte lorsqu'ils découvrent ce qu'il déclarait en décembre 2015 à Breizh-info, un site Internet proche des milieux identitaires : « Il faut que les gens sachent que les musulmans seront majoritaires dans une trentaine d'années, peut-être moins, vu les flux de réfugiés. Et cette fois nous serons bien contraints de filer doux ou de disparaître. » La désormais fameuse – et fumeuse – théorie du grand remplacement popularisée par l'extrême droite.

Mais la tentative de noyautage par l'extrême droite du mouvement des policiers en colère ne se limite pas à chercher à récupérer le poste de porte-parole. De manière plus profonde et diffuse, à Lyon, Toulouse, Nantes et sans doute ailleurs, des « collectifs libres et indépendants de la police » voient le jour. Officiellement, ces structures n'ont rien à voir avec les syndicats et rien à voir non plus avec les partis politiques. « Nous ne roulons pour personne, jure un de ses dirigeants. Pas plus pour le FN que pour quiconque. » En revanche, une de leurs revendications phares est l'instauration pour les policiers « de la présomption de légitime défense ». Une sorte de permis de tuer chère à Le Pen et à une partie de

Républicains, qui permettrait d'ouvrir le feu en cas de «danger imminent».

La mesure figure en bonne place dans le programme présidentiel de la leader d'extrême droite. À part ça, pas grand-chose. «Les moyens des services de police et de gendarmerie doivent être améliorés.» Et puis, bien évidemment : «Stopper les flux migratoires vers la France» car «la carte de l'insécurité recoupe largement celle de l'immigration». Et encore, pour finir, «soutenir les policiers et les gendarmes qui se sentent largement abandonnés». Un peu court. C'est un commissaire divisionnaire qui a pondu cela. Olivier Damien anime le «comité d'action programmatique» de la candidate. Désormais à la retraite, il a dirigé le syndicat des commissaires entre 2003 et 2009. S'il agit le plus souvent dans l'ombre, en mettant discrètement ses réseaux professionnels et syndicaux au service de l'état-major lepéniste, Damien n'hésite pas à en faire ouvertement la promotion sur Internet. Il est ainsi un des contributeurs du Réseau Voltaire, un site néoconservateur et proche de l'extrême droite. L'ancien des Renseignements généraux et de la sécurité publique y brosse dans le sens du poil ses anciens collègues. «Depuis des mois, ils sont face aux migrants, face aux délinquants, face aux terroristes, face aux manifestants les plus violents, écrit-il. La police peut redevenir la cible d'attaques qui visent, en vérité, un pouvoir complètement discrédité, mais que ses détracteurs n'osent pas affronter de face. Faute de pouvoir faire tomber un gouvernement dont plus personne ne veut, on s'en prend à l'un des piliers majeurs de nos institutions, espérant laminer ainsi un régime à bout de souffle.»

Si le FN prétend aimer la police, les flics ne le lui rendent pas toujours bien. En particulier ceux chargés d'enquêter sur ses affaires financières. À six mois de l'échéance présidentielle, le parquet de Paris a ouvert une nouvelle information judiciaire à l'appui d'informations fournies par l'agence de renseignement de Bercy, Tracfin. La note constate des «flux financiers importants», en période électorale, entre les micropartis des Le Pen père et fille avec des sociétés commerciales, prestataires du mouvement et dirigées par des cadres d'extrême droite. Déjà en octobre, le FN et deux de ses cadres avaient été renvoyés devant un tribunal pour des soupçons d'escroquerie aux frais de l'État, lors des législatives de 2012. Et ce n'est pas tout. En janvier 2017, le parquet déclenchait une nouvelle enquête sur des salaires indûment versés à des assistants parlementaires d'élus du parti d'extrême droite au Parlement européen.

Beauvau, année zéro

« Il existe dans le pays de véritables zones de reléga-
tion sociale économique et civique. Elles abritent un
communautarisme nouveau : celui des quartiers. Des
modes de vie parallèles, imbrication d'aide sociale, de
débrouille et de délinquance, s'installent, se solidifient
et tendent à devenir des modèles sociaux parallèles
d'intégration. Notre société se morcelle. D'où l'urgence
à agir [...]. L'inadaptation de nos dispositifs de sécurité
est patente. J'acquiers la conviction qu'il faut porter le
fer. Il faut non seulement changer la doctrine d'emploi
des forces de sécurité, mais modifier aussi en profon-
deur l'organisation des services de police, afin de
remettre les policiers sur le terrain[1]. »

Implacable, ce constat est signé du dernier ministre de
l'Intérieur de François Hollande. Bruno Le Roux le dres-
sait il y a... seize ans. Jeune député de Seine-Saint-Denis,
il faisait alors ses premières armes et plaidait en faveur
d'une « sécurité pour tous ». Il pourrait écrire la même
chose aujourd'hui. Car la société se communautarise

---

1. *La Sécurité pour tous, une exigence de justice sociale*,
Balland, 2001.

encore et encore. Quant à l'inadaptation et la désorganisation des forces de sécurité, comme notre enquête l'a démontré, elles continuent d'être «patentes».

C'est dire que ce quinquennat – pas plus que les précédents – n'aura servi à rien. Malheureusement, la situation ne devrait pas changer dans les temps à venir. Alors que les pin-pon des sirènes des forces de l'ordre se mêlent aux flonflons des meetings électoraux, les candidats à la présidentielle ressortent du placard leurs anciennes recettes. Pour garantir le calme dans le pays, tous sont persuadés qu'il suffit de gonfler les effectifs des forces de sécurité. Le Pen, Macron, Fillon, Hamon et les autres se sont lancés dans une surenchère : «recruter plus pour sécuriser plus». Simplement, ils divergent sur le nombre de policiers et de gendarmes à embaucher. Et c'est tout...

Aucun d'entre eux ne pose les questions qui fâchent. Les forces de sécurité sont au bord de l'implosion. Leurs méthodes sont dépassées lorsqu'elles ne sont pas condamnables, comme les morts de Rémi Fraisse et d'Adama Traoré et les blessures indélébiles de Théo L. l'ont dramatiquement rappelé. Le rapport à la population s'est dégradé : François Hollande avait fait pourtant de cette question son trentième engagement et promis de «remettre de la police de proximité dans les quartiers», de «lutter contre les contrôles au faciès» comme «contre toutes les discriminations».

Les menaces terroristes, l'état d'urgence, les crises sociales et migratoires ont épuisé policiers et gendarmes. À cela s'ajoutent des commissariats délabrés, voire insalubres, des voitures hors d'âge, des ordinateurs du siècle dernier, etc. Sans compter la formation insuffisante, le poids grandissant des procédures judiciaires et l'incompréhension croissante avec les services de la Justice... Ce profond malaise s'accentue en raison d'une cogestion obsolète entre l'administration et les syndicats. Une organisation absurde pour le grand public, et qui favorise l'irresponsabilité de ses acteurs.

Bref, comme en témoigne un haut fonctionnaire après presque trente ans de bons et loyaux services : « L'Intérieur s'est considérablement abîmé. Il faut tout raser, tout repenser. Ça ne sert à rien de ripoliner. Il n'y a que les fondations à conserver. » Ministre de l'Intérieur pendant plus de quatre ans, avant qu'il eût rejoint Matignon, Bernard Cazeneuve en a fait l'aveu. Le 14 février 2017, en marge d'un déplacement à Bruxelles, il confiait sur RFI : « C'est long de reconstruire une police. » Il en va pourtant de la cohésion et du développement de notre société. C'est pourquoi, peut-être plus que jamais, la présidentielle passe par l'Intérieur.

Organigramme des services de sécurité français

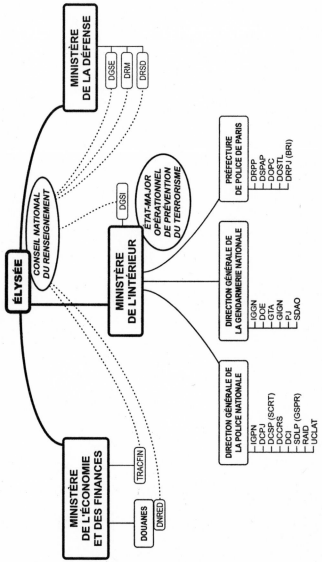

Glossaire des sigles et acronymes

BRI : Brigade de recherche et d'intervention. Seule unité d'élite dotée d'une compétence de police judiciaire, elle dépend du préfet de police de Paris. Son patron actuel est le commissaire Christophe Molmy.

CNAPS : Conseil national des activités privées de sécurité. Cet établissement public sous tutelle du ministère de l'Intérieur est chargé d'agréer et de contrôler les professions en sécurité privée. Son directeur est un préfet, actuellement Jean-Paul Celet.

CNR : Coordinateur national du renseignement. Depuis 2016, le poste est occupé par le préfet Yann Jounot.

DACG : Direction des affaires criminelles et des grâces, directement placée sous l'autorité du garde des Sceaux, elle est sous la houlette du magistrat Robert Gelli.

DCI : Direction de la coopération internationale. Sous l'autorité conjointe des directeurs de la police nationale et de la gendarmerie, elle est implantée dans cent pays où œuvrent policiers et gendarmes expatriés, et dirigée par l'inspecteur général Émile Pérez.

DCRI : Direction centrale du renseignement intérieur, devenue DGSI en mai 2014.

DGGN : Direction générale de la gendarmerie nationale. En 2016, le général Richard Lizurey a succédé au général Denis Favier, au poste de DGGN.

DGPN : Direction générale de la police nationale. Elle dépend directement du ministre de l'Intérieur. Le DGPN, aujourd'hui Jean-Marc Falcone, dirige toute la police nationale.

DGSE : Direction générale de la sécurité extérieure. Placée sous l'autorité du ministre de la Défense, elle obéit, depuis avril 2013, au diplomate Bernard Bajolet.

DGSI : Direction générale de la sécurité intérieure. Son patron, Patrick Calvar, a précédemment dirigé la DCRI.

DNRA : Division nationale de recherche et d'appui, créée sur le modèle de la SORS, le bras armé des anciens Renseignements généraux. De son petit nom : la D7.

DNRED : Direction nationale du renseignement et des enquêtes douanières. Elle est, avec Tracfin, l'un des deux services de renseignement du ministère de l'Économie et des Finances. Directeur actuel : Jean-Paul Garcia.

DRM : Direction du renseignement militaire. Relève de la Défense. À sa tête, le général Christophe Gomart.

DRPP : Direction du renseignement de la préfecture de police, en charge des affaires liées au renseignement sur la capitale et sa région. L'actuel directeur du renseignement est René Bailly.

DRSD : Direction du renseignement et de la sécurité de la défense. L'ex-DPSD est dirigée par le général Jean-François Hogard. Comme son nom l'indique, elle dépend du ministère de la Défense.

DSPAP : Direction de la sécurité de proximité de l'agglomération parisienne, sous la houlette de Jacques Meric, elle est compétente sur Paris, les Hauts-de-Seine, la Seine-Saint-Denis et le Val-de-Marne.

DST : Direction de la surveillance du territoire. En 2008, elle a fusionné avec les Renseignements généraux pour donner naissance à la DCRI, devenue depuis DGSI.

GIGN : Groupement d'intervention de la gendarmerie nationale. Cette force d'élite est conduite par le colonel Hubert Bonneau.

IGPN : Inspection générale de la police nationale. Directement rattachés à la DGPN, les « bœuf-carottes » sont dirigés depuis 2012, par Marie-France Monéger.

PJ : Police judiciaire. Elle relève de la direction centrale de la police nationale. Actuel DCPJ, Mireille Ballestrazzi.

PP : Préfecture de police de Paris. Le préfet de police actuel est Michel Cadot.

RAID : Acronyme de Recherche, assistance, intervention et dissuasion. L'unité d'élite de la police nationale est dirigée par Jean-Michel Fauvergue.

RG : Renseignements généraux. Ils ont disparus en 2008 au moment de la création de la DCRI.

SDAO : Sous-direction de l'anticipation opérationnelle. Créée en décembre 2013 par la gendarmerie nationale pour faire du renseignement territorial. À sa tête : le général Pierre Sauvegrain.

Tracfin : Cellule de traitement et action contre les circuits financiers clandestins du ministère de l'Économie et des Finances, elle a pour directeur un magistrat, Bruno Dalles.

Remerciements

À toutes celles et tout ceux qui ont permis, d'une façon ou d'une autre, la rédaction de cet ouvrage. Qu'elles et ils reçoivent, avec ces quelques lignes, l'expression de notre sincère gratitude.

Un salut confraternel à nos complices du *Canard enchaîné*.

Table

L'arme à gauche 9

1. La désarkozysation 15
2. Valls dans le viseur 39
3. Le Raspoutine de l'Intérieur 55
4. L'étoile filante 67
5. Les carottes sont cuites ! 91
6. La belle PP 111
7. Au 36ᵉ dessous 131
8. Opération Minotaure 147
9. La maison des secrets 163
10. Franchissement de ligne blanche 179
11. L'ennemi intérieur 193
12. L'autre espion du Président 211
13. Bleu Marine 225

Beauvau, année zéro 237

Organigramme des services de sécurité français ... 241
Glossaire des sigles et acronymes 243
Remerciements 249

La photocomposition de cet ouvrage
a été réalisée par
GRAPHIC HAINAUT
30, rue Pierre Mathieu
59410 Anzin

Imprimé en France par CPI
en mars 2017

Dépôt légal : mars 2017
N° d'édition : 55880/01 – N° d'impression : 3020363